à vous de lire

2

textes proposés et annotés
par
Philippe Greffet et Louis Porcher

avec la collaboration
de
Catherine Barnoud

ALLIANCE **AF** FRANÇAISE
HACHETTE

**Collection
à vous de lire**
● livre et cassette

TITRES PARUS :

à vous de lire 1
Contes et nouvelles :
La Bruyère, Voltaire, Honoré
de Balzac, Guy de Maupassant,
Alphonse Daudet...

à vous de lire 3
Poèmes :
Ronsard, La Fontaine, Victor
Hugo, Charles Baudelaire...

I.S.B.N. 2.01.012546.0

Avant-propos

Les textes rassemblés ici sont des classiques de la littérature française. Cela correspond, de notre part, à un choix délibéré. Il n'est pas question pour nous de dire que seuls valent les grands auteurs classiques, et qu'il n'y en a pas d'autres que ceux-ci. À l'inverse il nous paraît tout à fait inacceptable de vouloir écarter ces œuvres célèbres de la pédagogie du « français langue étrangère ». Ce que nous proposons ici n'est donc ni une anthologie de la littérature française ni une présentation de la richesse et de la diversité de celle-ci.

Ce sont simplement des œuvres qu'on ne peut pas ne pas avoir lues si l'on veut commencer à connaître notre littérature. Il ne suffit cependant pas de les lire pour parvenir à ce but. Les textes retenus sont classiques à plusieurs égards : leurs auteurs, qui comptent parmi les plus grands écrivains français, leur écriture, leur notoriété propre. Il s'agit, en effet, d'œuvres très connues, maintes fois publiées et citées, disponibles d'ailleurs en livres de poche. Tel est justement notre choix : ne pas chercher l'originalité pédagogique, le peu connu, mais, au contraire, rassembler des pièces de réputation ancienne, incontestées. Et, précisément, elles sont regroupées ici pour la commodité de la lecture ou de l'enseignement/apprentissage. En un seul volume se trouvent ainsi disponibles plus d'une dizaine de textes et d'auteurs différents, tous de grande légitimité.

C'est donc le lecteur qui est sollicité, son plaisir et sa liberté. Qu'il soit apprenant, enseignant, le choix lui appartient en dernier ressort, pour l'irremplaçable goût de la lecture.

Nous nous sommes bornés à des textes courts, contes, nouvelles ou extraits de romans. Comme on le verra, ils sont restitués dans leur nudité, ils ne sont escortés d'aucun commentaire. Le texte et le lecteur construisent à deux, librement, leur plaisir.

Les notes ont un objectif uniquement instrumental; elles fournissent une simple aide à la lecture, chaque fois que cela nous a semblé nécessaire. Elles sont le plus souvent lexicales (définition de mots devenus rares par exemple), parfois aussi grammaticales ou stylistiques, et visent toujours à la simplification pour une meilleure compréhension du lecteur. Il arrive enfin qu'elles donnent une information (de type historique ou géographique par exemple) quand le texte contient des allusions à des événements ou situations implicites.

Au total, donc, ces notes ont été réduites au maximum, pour ne pas briser le plaisir de la lecture mais au contraire y contribuer.

Deux volumes sont déjà parus, d'autres volumes suivront, de nouvelles encore, de poésie, de romans, de théâtre. Ils seront toujours construits selon les mêmes principes et modalités: littérature classique sans exégèse, avec de brèves facilitations de la lecture. Pour votre plaisir et votre usage.

Les cassettes[1] enfin, pour le goût de l'écoute et du sonore, fournissent à chacun la possibilité d'aller de l'oral à l'écrit, à son gré, selon ses envies et ses nécessités.

Ph. G. et L.P.

---

1. Voir dans la table des matières, pages 95-96,
la liste des textes enregistrés.

Marie de France

Nous ne savons presque rien d'elle. Née en Normandie, elle a vécu pendant la deuxième moitié du XIIe siècle à la cour d'Henri II Plantagenêt, roi d'Angleterre et souverain d'une cour toute française dans ses manières et son langage. Dans son œuvre, un isopet, recueil de fables, et des lais, brefs poèmes narratifs, Marie de France, avec candeur et simplicité, décrit l'amour comme un sentiment profond, inexpliqué qui envahit l'âme et trouve en lui-même sa cause et sa fin.

Les deux amants

Jadis[1] arriva en Normandie l'aventure souvent contée de deux jeunes gens qui s'entr'aimèrent et qui moururent de cet amour. Les Bretons en firent le récit que voici. On l'appelle « les deux amants ». Il y a, en Normandie, une montagne merveilleusement haute qui porte en son sommet le tombeau[2] de ces deux amoureux. Il n'y a pas très longtemps que le roi des Pitrois avait fondé une ville au pied de cette montagne ; du nom de son peuple il l'avait appelée Pitres. Le nom est toujours resté depuis. La cité, les maisons existent encore, et la contrée porte le nom de val de Pitres.

Ce roi avait une fille, jeune, belle et aimable, et il n'avait qu'elle ; il l'aimait et la chérissait grandement. C'était son seul souci[3] ; nuit et jour, il était près d'elle ; seule elle pouvait le consoler d'avoir perdu la reine. De riches hommes la demandèrent en mariage, mais le roi ne voulait la donner à personne car il ne pouvait se séparer d'elle. Quelques-uns de ces prétendants lui reprochèrent son égoïsme et même ses amis et ses sujets blâmaient[4] sa conduite.

Quand il apprit qu'on en parlait partout et qu'on en parlait mal, il en eut courroux[5] et douleur. Il chercha comment il pourrait éviter que quelqu'un ne la lui prît et après y avoir longuement pensé, il crut enfin avoir trouvé la manière d'empêcher le mariage de sa fille. Il fit donc savoir dans sa ville, dans la campagne environnante et dans les royaumes voisins que quiconque désirerait épouser la princesse devrait se soumettre à une épreuve. Il avait en effet décidé qu'il fallait, pour conquérir sa fille, la porter dans ses bras hors de la cité jusqu'au sommet de la montagne sans reprendre haleine[6].

Quand la nouvelle fut connue, beaucoup de jeunes princes et de jeunes nobles vinrent pour se soumettre à cette épreuve de force et d'endurance[7] ; ils essayèrent et ne réussirent pas. Quelques-uns s'efforcèrent tant qu'ils la portaient jusqu'à mi-hauteur de la montagne, mais ils ne pouvaient aller plus loin, ils étaient forcés de la

---

1. **Jadis** : il y a longtemps, autrefois.
2. **Tombeau** : sépulture monumentale.
3. **Souci** : préoccupation.
4. **Blâmer** : désapprouver.

5. **Il en eut courroux** : il se fâcha.
6. **Sans reprendre haleine** : sans reprendre son souffle, sans s'arrêter.
7. **Endurance** : résistance à la fatigue.

déposer à terre pour se reposer. En sorte qu'elle resta longtemps ainsi, fille à donner, sans que désormais nul ne se présentât pour la prendre.

Dans le pays, il y avait un jeune homme noble et bien fait, fils d'un comte. Il s'efforçait en toute chose, de l'emporter sur tout[8]. Il fréquentait la cour du roi, y avait vu la princesse et était devenu amoureux d'elle. À plusieurs reprises, il la supplia de répondre à son amour, mais elle, qui l'aimait en secret depuis le premier jour qu'elle l'avait vu, baissait les yeux et ne lui disait rien.

Cependant, comme il était aimable et courageux et que le roi l'appréciait beaucoup, elle lui avoua finalement qu'elle l'aimait et lui l'en remercia bien humblement. Souvent ils parlaient ensemble, et loyalement s'entr'aimaient, tout en prenant bien garde de n'être pas surpris par le roi. Ces précautions leur pesaient ; mais le jeune homme pensait : mieux vaut endurer ces inconvénients que trop risquer et tout perdre. C'était pour lui une situation bien amère[9].

Or il arriva qu'un matin son cœur creva[10] : il se sentit incapable de supporter plus longtemps cette situation insoluble que leur avait imposé le caprice[11] du roi. Le jeune homme si beau, si sage, vint à son amie. Il dit tout, il fit sa plainte. Il la supplia de s'en aller avec lui, de partir au loin, de s'y marier et d'y vivre selon leur cœur, quitte à revenir plus tard quand la colère du roi se serait calmée. Elle savait bien que s'il la demandait à son père, celui-ci l'aimait tant qu'il ne la lui donnerait pas, à moins qu'il ne la portât entre ses bras jusqu'au sommet de la montagne, ce qui était au-dessus des forces humaines comme l'avaient bien prouvé les tentatives précédentes.

La jeune fille répondit : « Ami, je sais bien que vous ne pourriez pas m'y porter, vous n'êtes pas assez vigoureux. Mais si je partais avec vous, mon père en aurait colère et douleur, et sa vie ne serait plus qu'un martyre[12]. Et je l'aime tant que je ne voudrais pas le fâcher. Il faut donc prendre une autre décision, car je ne veux plus entendre parler de celle-là. J'ai une parente à Salerne, dans cette partie de l'Italie que les Normands viennent de conquérir ; c'est une femme riche, noble et savante. Elle a tant pratiqué la médecine avec

8. **L'emporter sur tout :** être supérieur aux autres dans tous les domaines.
9. **Amère :** désagréable.
10. **Son cœur creva :** il ressentit une grande peine, une vive contrariété.
11. **Caprice :** volonté fantaisiste, déraisonnable du roi.
12. **Un martyre :** une grande souffrance physique. Celui qui l'endure est un martyr.

les meilleurs docteurs italiens et arabes qu'elle connaît les herbes et les racines et leurs vertus secrètes ; elle est experte en tout remède et en tout philtre[13]. Allez vers elle, remettez-lui la lettre que je vais écrire, contez-lui notre aventure. Elle réfléchira et fera ce qu'il faut faire. Elle vous donnera telles préparations, elle vous administrera telles boissons, que vous en serez tout réconforté et que vous acquerrez aussitôt une vigueur merveilleuse. Alors, quand vous serez revenu dans ce pays, vous me demanderez à mon père. Il vous tiendra pour un enfant, et vous dira sa condition : qu'il faut d'abord me porter au sommet de la montagne entre vos bras sans vous reposer. Acceptez cette condition, donnez-lui satisfaction puisqu'il faut en passer par là. Me porter là-haut ne sera pour vous qu'un jeu. »

Le jeune homme écoute attentivement le conseil de son amie et le trouve excellent ; il en est très joyeux, il la remercie. Puis il prend congé[14].

Il s'en retourne chez lui. Hâtivement il se munit de vêtements riches et d'argent, de chevaux de charge et de beaux chevaux nerveux et vifs pour lui et sa suite. Il part, arrive à Salerne et se présente à la tante de son amie. Il lui remet une lettre de sa part. Elle la lit d'un bout à l'autre, puis elle l'interroge tant qu'elle apprend tous les détails des amours de sa nièce avec ce beau jeune homme si bien fait et si courtois[15]. Alors elle lui promet de lui donner une force nouvelle qui lui permettra de réussir là où tous ses rivaux ont échoué. Elle prépare et lui donne une boisson telle qu'il ne sera jamais si malade, si épuisé, qu'elle ne lui rafraîchisse tout soudain le corps, les veines, les os, et qu'il ne recouvre[16] à la boire sa vigueur entière. Il met la boisson dans un flacon de cristal, puis la remporte en son pays.

Le jeune homme, plein d'allégresse, ne s'attarde point dans sa terre. Il va demander sa fille au roi : qu'il la lui donne, il la portera jusqu'au plus haut de la montagne. Le roi ne le renvoie point, mais il considère que cette demande est une grande folie, parce qu'il est tout jeune : tant de vaillants hommes faits[17] ont essayé, qui n'ont pu aboutir ! Pourtant il lui fixe un jour. Puis il appelle ses hommes, ses

---

13. **Un philtre :** un breuvage magique propre à inspirer l'amour.
14. **Il prend congé :** il part, il s'en va.

15. **Si courtois :** si poli, si respectueux.
16. **Recouvrer :** retrouver, récupérer.
17. **Hommes faits :** adultes, hommes plus âgés.

vassaux[18] tous ceux qu'il peut atteindre. Pour voir l'aventure de la jeune princesse et du jeune homme, on vient de toutes parts. La jeune fille se prépare : elle mange le moins possible pour s'alléger et soulager d'autant son ami.

Au jour dit, tous s'assemblent dans la prairie, vers la Seine. Le jeune homme arrive le premier, ayant sur lui son flacon de cristal et son philtre. Au milieu de la grande foule accourue, le roi amène sa fille. Elle a pour unique vêtement une tunique de toile fine, afin d'être plus légère. Son amoureux la prend dans ses bras ; il lui glisse dans la main le petit flacon de cristal pour qu'elle le porte. Il sait que ce philtre ne peut le trahir et qu'il peut avoir pleine et entière confiance. Mais on peut craindre qu'il n'en retire que peu de profits, car la jeunesse ne connaît point la mesure[19].

Il s'en va donc à grands pas, la serrant bien fort contre lui. Il monte la pente jusqu'à moitié. Dans la joie qu'il a de la tenir, il ne se souvient plus du philtre ; mais elle remarque qu'il se fatigue.

« Ami, fait-elle, allons, buvez ! Je sens bien que vous vous épuisez[20]. Renouvelez votre vigueur ! »

Son amoureux répond : « Belle, je sens mon cœur battre toujours aussi fort. Assurément je ne perdrai pas mon temps à boire tant que je pourrai faire encore trois pas. La foule s'écrierait, la clameur m'étourdirait, tout cela aurait tôt fait de me troubler. Je ne veux pas m'arrêter ici. »

Quand les deux tiers furent montés, il s'en fallut de peu qu'il ne tombât. La princesse le priait sans cesse : « Ami, buvez le philtre. »

Il ne veut ni entendre ni croire. Il n'avance plus avec elle qu'à grand'peine, grande angoisse. Tant il s'efforce, qu'il parvient sur le sommet ; mais là il tombe et ne se relève plus : son cœur s'est brisé dans sa poitrine.

La jeune fille regarde son ami, croit qu'il est évanoui[21]. Elle se met à genoux près de lui, essaie de lui donner la boisson ; mais déjà il ne pouvait plus lui répondre. Il était mort, comme je vous l'ai dit.

Elle le regrette[22] à très grands cris. Puis elle jette et brise le flacon qui contenait le philtre. La montagne s'en abreuve largement ; tout le

---

18. **Vassal/vassaux** : personne(s) qui dépend(ent) d'un seigneur.
19. **La jeunesse ne connaît point la mesure** : la jeunesse n'est pas raisonnable.

20. **Vous vous épuisez** : vous vous affaiblissez, vous êtes très fatigué.
21. **S'évanouir** : perdre connaissance.
22. **Regretter** : éprouver du chagrin.

pays et la contrée en ont été merveilleusement fertilisés ; depuis, toutes les bonnes herbes y poussent.

Revenons à la princesse. Dès qu'elle voit son ami perdu, elle est dolente [23] plus que jamais fille ne fut. Elle s'étend à ses côtés, le prend entre ses bras, l'embrasse tendrement. La douleur la glace jusqu'au cœur. Et là meurt la demoiselle qui était si belle, si aimable, si sage.

Le roi et ceux qui attendaient voyant qu'ils ne revenaient pas, montent vers eux ; ils les trouvent ainsi. Le roi tombe à terre, évanoui ; quand il peut parler, il montre à tous sa grande douleur. La foule, autour de lui, ne peut retenir ses larmes devant le triste spectacle de tant de jeunesse et de beauté si brusquement plongées dans la mort. Le roi garda les deux corps trois jours près de lui. Puis il envoya chercher un sarcophage [24] de marbre antique ; on mit dedans les deux amoureux ; on les enterra sous un rocher, au sommet de la montagne qui avait été la cause indirecte de leur mort. Et chacun rentra chez soi.

À cause d'eux, la montagne porte le nom de « montagne des deux amants ». Et vous en connaissez maintenant la véritable aventure.

LES LAIS.

---

23. **Dolent :** se dit de celui qui souffre.

24. **Un sarcophage :** un cercueil de pierre ; *ici* de marbre.

Bonaventure Des Périers

Né vers 1510, mort vers 1543.
Conteur du XVIᵉ siècle qui a écrit *Les nouvelles récréations et joyeux devis*. L'inspiration y est mince, la langue incertaine mais la verve donne au conte fraîcheur et authenticité.

Du gentilhomme qui criait la nuit après ses oiseaux et du charretier qui fouettait ses chevaux

Il y avait un gentilhomme au pays de Provence, d'un certain âge, assez riche et aimant à se distraire. Par dessus tout, il aimait la chasse et il y prenait un si grand plaisir de jour, que, la nuit, il en rêvait : il se levait en dormant et se prenait à crier à ses chiens, à son faucon[1], ni plus ni moins que dans la réalité. Cette habitude était fort déplaisante[2] et même gênante pour tous ceux qui dormaient sous le même toit que lui. Parfois même, il criait si fort et pendant si longtemps après ses oiseaux ou ses chiens, qu'il réveillait ses voisins. À part cela, il était très agréable, et il était fort connu, tant à cause de sa gentillesse que pour cette imperfection. Aussi tout le monde l'appelait-il : L'Oiseleur[3].

Un jour qu'il chassait avec ses faucons, il suivit avec tant d'attention ses oiseaux qu'il se trouva soudain en un lieu écarté. La nuit l'y surprit et il ne savait où aller. Cependant il tourna et vira tant par les bois et les montagnes qu'il se trouva enfin face à une maison isolée. Comme elle se trouvait sur un chemin et loin de toute hôtellerie ou auberge, l'hôte logeait[4] parfois les gens qui arrivaient chez lui la nuit.

Quand notre gentilhomme arriva, le maître de maison était déjà couché, mais il tambourina tant à la porte[5] qu'il le fit lever. Il le pria de bien vouloir lui donner un abri pour cette nuit, parce qu'il faisait froid et mauvais temps. L'hôte le fit entrer et conduisit son cheval à l'étable, le laissant à côté de ses propres vaches. Puis il lui montra un lit dans la salle commune, au rez-de-chaussée, car la maison n'avait pas d'étage.

Or il y avait dans la même salle un autre lit, dans lequel était couché un charretier qui venait de la foire de Pézenas[6]. Celui-ci

---

1. **Crier à ses chiens, à son faucon** : crier après ses chiens, son faucon (populaire) ; le faucon, oiseau de proie, était utilisé pour la chasse.
2. **Déplaisante** : désagréable.
3. **L'oiseleur** : celui qui chasse les oiseaux.

4. **L'hôte logeait** : celui qui occupait cette maison donnait l'hospitalité aux gens égarés.
5. **Tambouriner à la porte** : frapper à la porte en insistant comme si on jouait du tambourin.
6. **Pézenas** : ville du sud de la France où Molière créa quelques-unes de ses pièces.

s'éveilla à la venue du gentilhomme, ce dont il se fâcha fort car il était fort las[7] et il n'y avait guère[8] qu'il avait commencé à dormir ; et puis, à la vérité, chacun sait que cette sorte de gens-là n'est gracieuse que jusqu'à un certain point. À peine s'était-il éveillé qu'il dit à ce gentilhomme : « Qui diable vous amène si tard ? »

Notre gentilhomme, étant seul et en un lieu inconnu, parlait le plus doucement qu'il pouvait : « Mon ami, dit-il, je me suis égaré en suivant un de mes faucons. Endurez que je demeure ici à l'abri, en attendant le jour. »

Le charretier s'éveilla un peu mieux et, regardant avec plus d'attention le gentilhomme, le reconnut, car il l'avait vu assez souvent à Aix-en-Provence, et avait souvent entendu raconter quelle espèce de dormeur c'était. Le gentilhomme ne le connaissait point, mais en se déshabillant il lui dit : « Mon ami, je vous prie, ne vous fâchez pas avec moi pour une nuit. J'ai la coutume de crier la nuit après mes oiseaux, car j'aime la chasse et je rêve, la nuit durant, que je suis en train de chasser. »

— Oh ! oh ! dit le charretier en jurant[9]. Il m'en arrive autant qu'à vous ; car il me semble que, toute la nuit, je suis en train de fouetter mes chevaux, et il m'est impossible de m'en empêcher.

— Bien ! dit le gentilhomme. Une nuit est vite passée. Nous nous supporterons bien l'un l'autre.

Il se couche. Mais à peine venait-il d'entrer dans son premier sommeil, qu'il se lève tout debout sur son lit et qu'il commence à crier à tue-tête[10] : « Vole ! vole ! vole ! » À ce cri, notre charretier s'éveille, se saisit de son fouet qu'il avait auprès de lui, et commence à donner de grands coups de fouet à travers toute la salle et spécialement aux environs du lit sur lequel était dressé notre gentilhomme. Tout en faisant claquer son fouet, il criait : « Dia ! dia ! hue ! hue ! dia ! » comme s'il s'adressait à son attelage. Se rapprochant du lit de son compagnon de chambre, il vous le cingle[11] de la belle manière. Notre gentilhomme se réveilla en sursaut[12] sous la morsure de la lanière de cuir si vigoureusement maniée, et changea vite de langage, car au lieu de crier : « Vole ! vole ! » il

---

7. **Fort las :** très fatigué.
8. **Il n'y avait guère :** il n'y avait pas longtemps.
9. **Jurer :** dire des jurons, des mots grossiers.

10. **À tue-tête :** très fort.
11. **Cingler :** frapper avec un fouet.
12. **En sursaut :** brusquement.

commença à crier: « À l'aide! au secours! au meurtre!» Mais le charretier fouettait toujours, les yeux fermés, comme s'il dormait et criant imperturbablement[13]: «Hue! dia!» Sous ce déluge de coups[14] de fouet, le gentilhomme fut obligé de se jeter sous la table sans plus dire un mot, en attendant que le charretier eut passé sa fureur. Ce dernier, ayant vu que le gentilhomme s'était mis à l'abri de ses coups, garda son fouet et se remit au lit où il fit semblant de ronfler.

Au bruit, l'hôte s'était levé, avait allumé sa chandelle et avait ouvert la porte de la salle commune où se trouvaient le gentilhomme et le charretier. Ce dernier dormait apparemment comme si rien ne s'était passé, mais l'autre était caché sous un banc et s'était fait si petit qu'on aurait presque pu le mettre dans un sac. Il montra à son hôte ses jambes rayées et tout son corps blessé de coups de fouet.

Ceux-ci cependant furent cause d'un grand miracle, car, à partir de ce jour, ou plutôt de cette nuit, jamais plus notre gentilhomme ne cria après ses oiseaux en dormant. Ce dont s'émerveillèrent ceux qui le connaissaient; mais il leur conta ce qui lui était arrivé et tous comprirent la raison secrète de sa guérison.

LES NOUVELLES RÉCRÉATIONS ET JOYEUX DEVIS.

---

13. **Imperturbablement:** sans se troubler.   14. **Un déluge de coups:** un grand nombre de coups.

Madame de Sévigné

Née à Paris en 1626, morte en 1696.

Petite-fille de sainte Jeanne-de-Chantal, orpheline à sept ans, elle fut élevée par son oncle Christophe de Coulanges, abbé de Livry qui lui donna les maîtres les plus remarquables, notamment Chapelain et Ménage qui lui apprirent l'italien, l'espagnol et le latin. Elle se marie en 1644 au marquis de Sévigné qui sera tué en duel en 1651. Veuve à vingt-cinq ans avec deux enfants, elle refuse de se remarier pour se consacrer à leur éducation. Elle vit à Paris, à l'hôtel Carnavalet mais sa fille épouse en 1669 le comte de Grignan et suit son mari en Provence. La séparation est cruelle mais elle nous vaut d'admirables lettres que la marquise adresse à sa fille pour lui dire sa tendresse et lui donner des nouvelles de Paris. Plus de mille cinq cents de ces lettres ont été conservées.

Une nouvelle sensationnelle *

À Paris, ce lundi 15 décembre 1670[1]

Je m'en vais vous[2] mander[3] la chose la plus étonnante, la plus surprenante, la plus merveilleuse, la plus miraculeuse, la plus triomphante, la plus étourdissante, la plus inouïe, la plus singulière, la plus extraordinaire, la plus incroyable, la plus imprévue, la plus grande, la plus petite, la plus rare, la plus commune, la plus éclatante, la plus secrète jusqu'aujourd'hui, la plus brillante, la plus digne d'envie[4] enfin une chose dont on ne trouve qu'un exemple[5] dans les siècles passés, encore cet exemple n'est-il pas juste ; une chose que l'on ne peut pas croire à Paris (comment la pourrait-on croire à Lyon ?) ; une chose qui fait crier miséricorde à tout le monde ; une chose qui comble de joie Mme de Rohan et Mme d'Hauterive[6] ; une chose enfin qui se fera dimanche, où ceux qui la verront croiront avoir la berlue[7] ; une chose qui se fera dimanche, et qui ne sera peut-être pas faite lundi. Je ne puis me résoudre à la dire, devinez-la : je vous le donne en trois[8]. Jetez-vous votre langue aux chiens[9] ? Eh bien ! il faut donc vous la dire : M. de Lauzun[10] épouse dimanche au Louvre, devinez qui ? je vous le donne en quatre, je vous le donne en dix, je vous le donne en cent[8]. Mme de Coulanges dit : « Voilà qui est bien difficile à deviner ; c'est Mme de La Vallière. — Point du tout, Madame. — C'est donc Mlle de Retz ? — Point du tout, vous êtes bien provinciale[11]. — Vraiment nous sommes bien bêtes, dites-vous, c'est Mlle Colbert. — Encore moins. — C'est assurément Mlle de Créquy. — Vous n'y êtes pas. Il faut donc à la fin vous le dire : il épouse, dimanche, au Louvre, avec la permission du Roi, Mademoiselle, Mademoiselle de..., Mademoiselle..., devinez le nom : il épouse Mademoiselle, ma foi ! par ma foi ! ma foi jurée[12], Mademoiselle, la Grande Mademoiselle ; Mademoiselle, fille de feu Monsieur[13] ;

---

* Ce titre n'est pas de Mme de Sévigné.

1. La grande Mademoiselle, fille du frère du roi Louis XIII va épouser M. de Lauzun. Madame de Sévigné, excitée par cette nouvelle inattendue est ravie de piquer la curiosité de ses cousins. Elle se livre à un éblouissant exercice de virtuosité.
2. Lettre à son cousin M. de Coulanges qui habite Lyon.
3. **Mander :** faire savoir par lettre.
4. **La chose la plus étonnante... digne d'envie :** accumulation de contrastes et de sonorités.

5. **Une chose... qu'un exemple :** le mariage de la veuve de Louis XII avec le duc de Suffolk.
6. Elles ont épousé par amour de simples gentilshommes.
7. **Avoir la berlue :** voir quelque chose qui n'existe pas.
8. **Je vous le donne en trois... en quatre, en dix, en cent :** je vous défie de le deviner.
9. **Jeter sa langue aux chiens :** on dirait aujourd'hui donner sa langue au chat : déclarer que l'on renonce à trouver la solution ou la réponse.

Mademoiselle, petite-fille de Henri IV ; Mlle d'Eu, Mlle de Dombes, Mlle de Montpensier, Mlle d'Orléans[14], Mademoiselle, cousine germaine du Roi ; Mademoiselle, destinée au trône ; Mademoiselle, le seul parti de France qui fût digne de Monsieur[15]. Voilà un beau sujet de discourir. Si vous criez, si vous êtes hors de vous-même, si vous dites que nous avons menti, que cela est faux, qu'on se moque de vous, que voilà une belle raillerie, que cela est bien fade à imaginer[16], si enfin vous nous dites des injures : nous trouverons que vous avez raison ; nous en avons fait autant que vous.

Adieu : les lettres qui seront portées par cet ordinaire[17] vous feront voir si nous disons vrai ou non.

LETTRES.

---

10. M. de Lauzun : maréchal de France, comte puis duc de Lauzun. En fait, au dernier moment, Louis XIV interdira cette union mais il ne put empêcher un mariage secret.

11. Provinciale : habitante de la province donc peu au courant de ce qui se passe dans la capitale.

12. Ma foi, sur ma foi, par ma foi : sûrement, certainement.

13. Feu Monsieur : Gaston d'Orléans, frère du roi Louis XIII, qui est mort ; le titre de Monsieur était donné au frère cadet du roi.

14. Contraste entre Mademoiselle, nom donné à la fille aînée du frère du roi, et tous ses titres.

15. Monsieur : Philippe d'Orléans, frère de Louis XIV.

16. Cela est bien fade à imaginer : c'est une invention peu spirituelle.

17. Cet ordinaire : ce courrier.

La mort de Vatel*

À Paris, ce 26 avril 1671

Le Roi arriva[1] jeudi au soir ; la chasse, les lanternes, le clair de lune, la promenade, la collation[2] dans un lieu tapissé de jonquilles[3], tout cela fut à souhait[4]. On soupa[5], il y eut quelques tables où le rôti manqua, à cause de plusieurs dîners où l'on ne s'était point attendu[6]. Cela saisit Vatel[7], il dit plusieurs fois : « Je suis perdu d'honneur ; voici un affront que je ne supporterai pas. » Il dit à Gourville[8] : « La tête me tourne, il y a douze nuits que je n'ai dormi ; aidez-moi à donner des ordres. » Gourville le soulagea en ce qu'il put. Ce rôti qui avait manqué, non pas à la table du Roi, mais aux vingt-cinquièmes[9], lui revenait toujours à la tête. Gourville le dit à Monsieur le Prince[10]. Monsieur le Prince alla jusque dans sa chambre, et lui dit : « Vatel, tout va bien, rien n'était si beau que le souper du Roi. » Il lui dit : « Monseigneur, votre bonté m'achève[11], je sais que le rôti a manqué à deux tables. — Point du tout, dit Monsieur le Prince, ne vous fâchez[12] point, tout va bien. » La nuit vient : le feu d'artifice ne réussit pas, il fut couvert d'un nuage ; il coûtait seize mille francs. À quatre heures du matin, Vatel s'en va partout, il trouve tout endormi, il rencontre un petit pourvoyeur[13] qui lui apportait seulement deux charges de marée[14], il lui demanda : « Est-ce là tout ? ». Il lui dit : « Oui, Monsieur. » Il ne savait pas que Vatel avait envoyé à tous les ports de mer. Il attend quelque temps, les autres pourvoyeurs ne viennent point, sa tête s'échauffait[15], il croit qu'il n'aura point d'autre marée ; il trouve Gourville, et lui dit : « Monsieur, je ne survivrai pas à cet affront-ci, j'ai de l'honneur et de la réputation à perdre. »

Gourville se moqua de lui. Vatel monte à sa chambre, met son épée contre la porte et se la passe au travers du cœur ; mais ce ne fut qu'au troisième coup, car il s'en donna deux qui n'étaient pas mortels : il tombe mort. La marée cependant arrive de tous côtés ; on

---

* Ce titre n'est pas de Mme de Sévigné.

1. Au château de Chantilly où le prince de Condé donnait une fête en son honneur.
2. **Une collation :** un repas léger.
3. **Jonquilles :** fleurs printanières.
4. **À souhait :** parfait, aussi bien qu'on peut le souhaiter.
5. **Souper :** aujourd'hui repas que l'on prend après le spectacle, tard dans la nuit. Au XVIIe siècle c'était notre dîner actuel, ce qu'on appelait dîner étant notre déjeuner.

6. **À cause de... point attendu :** plusieurs repas qui n'avaient pas été prévus.
7. **Cela saisit Vatel :** cela émut vivement Vatel, maître d'hôtel du prince de Condé.
8. **Gourville :** intendant du prince de Condé.
9. **Aux vingt-cinquièmes :** aux tables où se trouvent les invités les moins importants.
10. **Monsieur le Prince :** titre officiel du prince de Condé cousin de Louis XIV.
11. **M'achève :** loin de le consoler, la remarque du prince lui donne le coup de grâce, le désespère.

cherche Vatel pour la distribuer, on va à sa chambre ; on heurte[16], on enfonce la porte ; on le trouve noyé dans son sang ; on court à Monsieur le Prince, qui fut au désespoir. Monsieur le Duc[17] pleura ; c'était sur Vatel que roulait tout son voyage[18] de Bourgogne. Monsieur le Prince le dit au Roi fort tristement : on dit que c'était à force d'avoir de l'honneur en sa manière ; on le loua fort, on loua et blâma son courage.

Le Roi dit qu'il y avait cinq ans qu'il retardait de venir à Chantilly, parce qu'il comprenait l'excès de cet embarras. Il dit à Monsieur le Prince qu'il ne devait avoir que deux tables et ne se point charger de tout le reste. Il jura qu'il ne souffrirait plus que Monsieur le Prince en usât ainsi ; mais c'était trop tard pour le pauvre Vatel.

Cependant Gourville tâche de réparer la perte de Vatel ; elle le fut : on dîna[19] très bien, on fit collation[20], on soupa, on se promena, on joua, on fut à la chasse ; tout était parfumé de jonquilles, tout était enchanté[21].

LETTRES.

---

12. **Ne vous fâchez point :** ne vous tourmentez pas.
13. **Pourvoyeur :** garçon chargé d'apporter au château les denrées nécessaires.
14. **Marée :** poisson de mer pêché à la dernière marée.
Deux charges : trop faible quantité, or c'est vendredi, jour maigre où l'on ne peut servir que du poisson.
15. **Sa tête s'échauffait :** il s'irritait, s'impatientait.
16. **On heurte :** on frappe à la porte.

17. **Monsieur le Duc :** titre officiel du duc d'Enghien, fils du grand Condé.
18. **C'était sur Vatel... voyage :** le succès de son voyage dépendait de Vatel.
19. **Dîner :** déjeuner (à midi).
20. **Collation :** repas léger (dans l'après-midi).
21. **Enchanté :** imprégné d'un charme magique.

Le carrosse renversé*

À Paris, ce 5 février 1674

L'archevêque de Reims revenait hier fort vite de Saint-Germain, c'était comme un tourbillon[1], il croit bien être grand seigneur, mais ses gens[2] le croient encore plus que lui. Ils passaient au travers de Nanterre, tra tra tra! Ils rencontrent un homme à cheval, gare, gare! Ce pauvre homme veut se ranger, son cheval ne veut pas ; et enfin le carrosse et les six chevaux renversent cul par-dessus tête le pauvre homme et le cheval, et passent par-dessus, et si bien par-dessus, que le carrosse en fut versé et renversé : en même temps l'homme et le cheval, au lieu de s'amuser[3] à être roués[4] et estropiés[5], se relèvent miraculeusement, remontent l'un sur l'autre, et s'enfuient et courent encore, pendant que les laquais[6] de l'archevêque et le cocher, et l'archevêque même, se mettent à crier : «Arrête, arrête ce coquin[7], qu'on lui donne cent coups!» L'archevêque, en racontant ceci, disait : Si j'avais tenu ce maraud-là, je lui aurais rompu les bras et coupé les oreilles.

Lettres.

---

* Ce titre n'est pas de Mme de Sévigné.

1. **Un tourbillon :** une masse d'air qui se déplace dans un mouvement très puissant.
2. **Ses gens :** ses domestiques.
3. **S'amuser à :** perdre son temps à.
4. **Roués :** victimes du supplice de la roue qui consistait à attacher la victime sur une roue et à lui briser les membres à coup de barre de fer.
5. **Estropié :** se dit de celui qui a perdu l'usage d'un membre.
6. **Les laquais :** les domestiques.
7. **Coquin = maraud :** fripon, misérable, personne malhonnête.

Madame de Maintenon

Née en 1636, morte en 1719.

Françoise d'Aubigné, petite-fille de l'écrivain Agrippa d'Aubigné, compagnon d'armes d'Henri IV, veuve du poète Scarron, fut chargée de l'éducation des enfants de Louis XIV et de Mme de Montespan. Après la mort de la reine Marie-Thérèse, elle épousa secrètement le roi en 1684. Elle exerça sur lui une grande influence notamment dans le domaine religieux (élevée dans la religion calviniste elle s'était convertie au catholicisme). À la mort du roi, en 1715, elle se retira dans la maison de Saint-Cyr qu'elle avait fondée pour l'éducation des jeunes filles nobles et pauvres. Sa correspondance est surtout consacrée à ce sujet, quelques lettres cependant relatent des événements de la cour.

Louis XIV, témoin d'un crime *

La cour s'est installée à Saint-Germain, où nous serons probablement une semaine encore. Vous savez, madame, combien Sa Majesté affectionne son belvédère[1] de Louis XIII et le télescope de ce prince, un des meilleurs qu'on ait jamais faits avant lui. Le roi, par un mouvement d'inspiration, a dirigé cet instrument vers cet espace si éloigné où la Seine, formant un coude, embrasse l'extrémité du bois de Chatou, et a remarqué, dans le courant du fleuve, deux baigneurs qui paraissaient enseigner la natation à un troisième beaucoup plus jeune, et qui le rudoyaient probablement : car ce jeune homme, âgé de quatorze ou quinze ans, s'est échappé de leurs mains, et s'est sauvé vers le rivage pour y prendre ses vêtements et s'habiller ; ils l'ont rappelé en badinant[2], mais on voyait qu'il résistait et qu'il ne voulait plus de leurs leçons.

Alors les deux baigneurs, s'élançant sur lui, l'ont assailli, et, le ramenant de force dans la rivière, ils l'ont noyé de leurs propres mains.

Ayant englouti leur victime, ils ont porté leurs regards inquiets sur l'un et l'autre rivage ; puis, rassurés en ne voyant personne, ont repris leurs vêtements, ont côtoyé le fleuve et se sont dirigés vers le château. Le roi, montant vite à cheval, s'est fait accompagner de cinq ou six mousquetaires[3], et s'en est allé au-devant d'eux. Il ne tarda pas à les joindre. «Messieurs, leur dit-il, on vous a vus partir trois ; qu'avez-vous fait de votre camarade ?»

Cette interpellation, prononcée avec assurance, les a un peu troublés ; mais bientôt ils ont répondu que leur camarade avait voulu s'exercer à nager, qu'ils l'avaient laissé se divertissant dans la rivière, vers l'angle de la forêt, à cet endroit où l'on pouvait remarquer son linge et ses vêtements qui étaient sur l'herbe.

À cette réponse, le roi leur a fait lier les mains, et les mousquetaires, les ayant attachés l'un à l'autre, les ont amenés au

---

* Ce titre n'est pas de Mme de Maintenon.
1. **Belvédère :** pièce construite au sommet d'un édifice ou d'une hauteur d'où l'on peut contempler un paysage.

2. **Badiner :** plaisanter.
3. **Mousquetaires :** soldats armés d'un mousquet, arme à feu, ancêtre du fusil.

vieux château, où ils ont été enfermés séparément. Sa Majesté, dont l'indignation était au comble[4], a fait appeler le grand prévôt[5] et, lui exposant les faits tels qu'ils s'étaient passés sous ses yeux, a ordonné qu'il en fût fait justice[6] sur l'heure. Le grand prévôt, scrupuleux à l'excès, a supplié le roi de considérer qu'à une pareille distance et à travers un télescope les choses avaient pu se montrer différentes de ce qu'elles étaient ; que peut-être, au lieu de retenir leur ami sous les ondes, les deux baigneurs n'étaient occupés qu'à l'y soutenir.

« Non, monsieur, non, a répondu Sa Majesté ; ils l'ont ramené dans le fleuve malgré lui, et j'ai vu leurs efforts et les siens quand ils l'ont englouti. — Mais, Sire, a répondu le scrupuleux magistrat, nos lois criminelles veulent deux témoins, et Votre Majesté, toute puissante qu'elle est, ne me présentera jamais que le témoignage d'un seul. — Monsieur, reprit le roi avec douceur, je vous autorise à exprimer, dans votre sentence, que vous avez entendu le roi de France et le roi de Navarre comme témoins univoques[7] du fait. » Voyant que ce double emploi ne rassurait pas encore le juge, Sa Majesté s'est impatientée et a dit : « Le roi Louis IX, mon grand-père, rendait souvent la justice lui-même au bois de Vincennes ; je m'en vais aujourd'hui suivre son exemple et rendre la justice à Saint-Germain. » Aussitôt la salle du trône a été préparée sur son ordre ; vingt bourgeois notables de la ville ont été appelés au château ; les dames et les seigneurs ont occupé avec eux les banquettes ; le roi, décoré de ses ordres, est monté sur son siège, et les deux meurtriers ont comparu. À leurs contradictions, à leur embarras toujours croissant, l'auditoire a aisément reconnu leur culpabilité. Le malheureux jeune homme était leur frère ; il venait d'hériter de leur mère commune, qui l'avait eu d'un second lit. Ces monstres l'ont assassiné par vengeance et par cupidité[8].

Le roi les a condamnés à être liés et précipités dans le fleuve, à la même place où ils ont immolé[9] leur jeune frère.

Quand ils ont vu le roi descendre de son trône, ils se sont jetés à ses pieds, en implorant sa grâce et confessant leur forfait[10]. Le roi a remercié Dieu de la confession qui venait d'échapper à leur

---

4. **Au comble :** à son degré le plus élevé.
5. **Prévôt :** officier de justice de la maison du roi.
6. **Faire justice :** châtier, punir.
7. **Univoque :** univoque peut désigner deux objets distincts. Louis XIV a témoigné comme roi de France et roi de Navarre, titres réunis depuis Henri IV.

8. **Cupidité :** amour du gain, de l'argent.
9. **Immolé :** tué en sacrifice, massacré.
10. **Leur forfait :** leur crime.

conscience, mais a confirmé sa sentence. Ils ont été exécutés avant le coucher de ce même soleil qui avait éclairé leur crime, et, le lendemain, les trois corps réunis ont été retrouvés à deux lieues, sous les saules qui bordent une prairie au-delà de Poissy. Des ordres sont partis pour les inhumer[11] séparément. Le plus jeune a été ramené à Saint-Germain, où Sa Majesté a voulu qu'on lui fît des obsèques dignes de son innocence et de ses malheurs. Messieurs les mousquetaires y ont tous assisté.

Lettres historiques.

---

11. **Inhumer** : enterrer.

La Bruyère

Né en 1645, mort en 1696.

Les Caractères, son œuvre essentielle, constituent l'un des textes les plus célèbres du XVIIe siècle classique. Publié en 1693, il peint une série de portraits, qui sont imaginaires mais représentent des types sociaux (le bavard, l'égoïste, l'ambitieux...) que l'on retrouve en tout temps et en tout lieu.

Théramène

Théramène était riche et avait du mérite ; il a hérité, il est donc très riche et d'un très grand mérite. Voilà toutes les femmes en campagne pour l'avoir pour galant[1], et toutes les filles pour épouseur[2]. Il va de maisons en maisons faire espérer aux mères qu'il épousera. Est-il assis, elles se retirent, pour laisser à leurs filles toute la liberté d'être aimables, et à Théramène de faire ses déclarations. Il tient ici contre le mortier[3] ; là il efface le cavalier ou le gentilhomme. Un jeune homme fleuri, vif, enjoué, spirituel n'est pas souhaité plus ardemment ni mieux reçu ; on se l'arrache des mains[4], on a à peine le loisir de sourire à qui se trouve avec lui dans une même visite. Combien de galants va-t-il mettre en déroute[5] ? quels bons partis ne fera-t-il point manquer ? Pourra-t-il suffire à tant d'héritières qui le recherchent ? Ce n'est pas seulement la terreur des maris, c'est l'épouvantail de tous ceux qui ont envie de l'être, et qui attendent d'un mariage à remplir le vide de leur consignation[6]. On devrait proscrire de tels personnages si heureux, si pécunieux, d'une ville bien policée, ou condamner le sexe, sous peine de folie ou d'indignité, à ne les traiter pas mieux que s'ils n'avaient que du mérite.

Les Caractères.

1. **Galant :** homme entreprenant auprès des femmes.
2. **Épouseur :** celui qui est susceptible d'épouser une femme.
3. **Mortier :** coiffure portée par les présidents du Parlement (désigne ici les présidents).
4. **On se l'arrache des mains :** tout le monde veut l'inviter (il est très demandé).
5. **Mettre en déroute :** mettre en échec et en fuite.
6. **Consignation :** argent ou objets déposés au Trésor public.

Fénelon

Né en 1651, mort en 1715.

Prêtre missionnaire au Levant et en Grèce, il devient en 1678 supérieur de la congrégation des Nouvelles Catholiques, jeunes filles protestantes récemment converties. Directeur de conscience de Madame de Maintenon et des filles de Colbert, il publie le *Traité de l'éducation des filles* (1687) écrit pour la duchesse de Beauvilliers. Lorsque le duc de Beauvilliers fut désigné gouverneur du duc de Bourgogne, petit-fils de Louis XIV, Fénelon fut nommé précepteur du prince. Pour lui, Fénelon rédigea des ouvrages pédagogiques : les *Fables*, les *Dialogues des morts* et surtout *Télémaque*. Ce livre fut considéré comme une satire de la cour et du gouvernement. Louis XIV exila Fénelon dans le diocèse de Cambrai dont il était archevêque. Il n'en continua pas moins à préparer son ancien élève à son éventuel métier de roi. Mais ce rêve fut dissipé par la mort du petit-fils de Louis XIV.

Histoire d'Alibée Persan

Schah-Abbas, roi de Perse[1], faisant un voyage, s'écarta de toute sa cour, pour passer dans la campagne sans y être connu, et pour y voir les peuples dans toute leur liberté naturelle. Il prit seulement avec lui un de ses courtisans[2].

«Je ne connais point, lui dit le roi, les véritables mœurs[3] des hommes : tout ce qui nous aborde est déguisé[4] ; c'est l'art[5], et non pas la nature simple, qui se montre à nous. Je veux étudier la vie rustique[6], et voir ce genre d'hommes qu'on méprise tant, quoiqu'ils soient le vrai soutien de toute la société humaine. Je suis las[7] de voir des courtisans qui m'observent, pour me surprendre en me flattant[8] ; il faut que j'aille voir des laboureurs et des bergers qui ne me connaissent pas.»

Il passa avec son confident au milieu de plusieurs villages où l'on faisait des danses et il était ravi de trouver loin des cours, des plaisirs tranquilles et sans dépense. Il fit un repas dans une cabane ; et comme il avait grand faim, après avoir marché plus qu'à l'ordinaire, les aliments grossiers[9] qu'il y prit[10] lui parurent plus agréables que tous les mets exquis de sa table.

En passant dans une prairie semée de fleurs que bordait un clair ruisseau, il aperçut un jeune berger qui jouait de la flûte, à l'ombre d'un grand ormeau[11], auprès de ses moutons paissants. Il l'aborde, il l'examine ; il lui trouve une physionomie[12] agréable, un air simple et ingénu, mais noble et gracieux. Les haillons[13] dont le berger était couvert ne diminuaient point l'éclat de sa beauté. Le roi crut d'abord que c'était quelque personne de naissance illustre qui s'était déguisée ; mais il apprit du berger que son père et sa mère étaient dans un village voisin, et que son nom était Alibée. A mesure que le roi le questionnait, il admirait en lui un esprit ferme[14] et raisonnable.

Ses yeux étaient vifs, et n'avaient rien d'ardent ni de farouche ; sa voix était douce, insinuante et propre à toucher[15] ; son visage n'avait

1. Conte moral qui célèbre la tranquillité et le bonheur de la vie simple. Ce texte a été écrit pour l'enseignement moral de son élève royal, le duc de Bourgogne, petit-fils de Louis XIV.
2. **Courtisan :** personne vivant à la cour du roi.
3. **Mœurs :** habitudes, façons de vivre.
4. **Déguisé :** feint, artificiel.
5. **L'art :** au sens d'artifice pour cacher la vérité.
6. **Rustique :** de la campagne.
7. **Las :** fatigué.
8. **Flatter :** louer exagérément ou mensongèrement pour plaire.
9. **Aliments grossiers :** aliments simples, sans raffinements inutiles.
10. **Qu'il y prit :** qu'il mangea.
11. **Un ormeau :** un arbre robuste d'Europe de l'Ouest.
12. **Physionomie :** expression originale qui caractérise un visage.
13. **Haillons :** vêtements usés et déchirés.
14. **Esprit ferme :** qui ne se laisse pas ébranler, qui a de l'autorité.
15. **Toucher :** émouvoir.

rien de grossier ; mais ce n'était pas une beauté molle et efféminée. Le berger, d'environ seize ans, ne savait point qu'il fût tel qu'il paraissait aux autres ; il croyait penser, parler, être fait comme tous les autres bergers de son village ; mais, sans éducation, il avait appris tout ce que la raison fait apprendre à ceux qui l'écoutent.

Le roi, l'ayant entretenu familièrement, en fut charmé ; il sut de lui sur l'état des peuples tout ce que les rois n'apprennent jamais d'une foule de flatteurs qui les environnent. De temps en temps il riait de la naïveté de cet enfant, qui ne ménageait[16] rien dans ses réponses. C'était une grande nouveauté pour le roi que d'entendre parler si naturellement : il fit signe au courtisan qui l'accompagnait de ne point découvrir qu'il était le roi ; car il craignait qu'Alibée ne perdît en un moment toute sa liberté et toutes ses grâces, s'il venait à savoir devant qui il parlait.

« Je vois bien, disait le prince au courtisan, que la nature n'est pas moins belle dans les plus basses conditions[17] que dans les plus hautes. Jamais enfant de roi n'a paru mieux né que celui-ci, qui garde les moutons. Je me trouverais trop heureux d'avoir un fils aussi beau, aussi sensé, aussi aimable. Il me paraît propre à tout, et, si on a soin de l'instruire, ce sera assurément un grand homme : je veux le faire élever auprès de moi. »

Le roi emmena Alibée, qui fut bien surpris d'apprendre à qui il s'était rendu agréable.

On lui fit apprendre à lire, à écrire, à chanter, et ensuite on lui donna des maîtres pour les arts et pour les sciences qui ornent l'esprit. D'abord il fut un peu ébloui[18] de la cour ; et son grand changement de fortune changea un peu son cœur. Son âge et sa faveur jointes ensemble altérèrent un peu sa sagesse et sa modération. Au lieu de sa houlette[19], de sa flûte et de son habit de berger, il prit une robe de pourpre[20], brodée d'or, avec un turban[21] couvert de pierreries. Sa beauté effaça[22] tout ce que la cour avait de plus agréable. Il se rendit capable des affaires les plus sérieuses, et mérita la confiance de son maître qui, connaissant le goût exquis d'Alibée pour toutes les magnificences d'un palais, lui donna enfin

---

16. **Ménager :** agir avec précaution.
17. **Basse condition :** rang social inférieur.
18. **Ébloui :** surpris et séduit par une apparence brillante mais trompeuse.
19. **Une houlette :** un grand bâton de berger.
20. **Pourpre :** étoffe teinte en rouge en usage chez les Anciens et qui était la marque d'un rang social élevé.
21. **Turban :** coiffure masculine des pays orientaux.
22. **Effaça :** éclipsa, fit oublier.

une charge très considérable en Perse, qui est celle de garder tout ce que le prince a de pierreries et de meubles précieux.

Pendant toute la vie du grand Schah-Abbas, la faveur d'Alibée ne fit que croître. A mesure qu'il avança dans un âge plus mûr, il se ressouvint enfin de son ancienne condition, et souvent il la regrettait. «O beaux jours, disait-il en lui-même, jours innocents, jours où j'ai goûté une joie pure et sans périls, jours depuis lesquels je n'en ai vu aucun de si doux, ne vous reverrai-je jamais? Celui qui m'a privé de vous, en me donnant tant de richesses, m'a tout ôté.»

Il voulut aller revoir son village; il s'attendrit[23] dans tous les lieux où il avait autrefois dansé, chanté, joué de la flûte avec ses compagnons. Il fit quelque bien[24] à tous ses parents et à tous ses amis; mais il leur souhaita pour principal bonheur de ne quitter jamais la vie champêtre, et de n'éprouver jamais les malheurs de la cour.

Il les éprouva, ces malheurs. Après la mort de son bon maître Schah-Abbas, son fils Schah-Séphi succéda à ce prince. Des courtisans envieux et pleins d'artifice[25] trouvèrent moyen de le prévenir contre Alibée. «Il a abusé, disaient-ils, de la confiance du feu roi[26], il a amassé des trésors immenses, et a détourné[27] plusieurs choses d'un très grand prix dont il était dépositaire.»

Schah-Séphi était tout ensemble jeune et prince; il n'en fallait pas tant pour être crédule[28], inappliqué et sans précaution. Il eut la vanité de vouloir paraître réformer ce que le roi son père avait fait, et juger mieux que lui. Pour avoir un prétexte de déposséder Alibée de sa charge, il lui demanda, selon le conseil de ses courtisans envieux, de lui apporter un cimeterre[29] garni de diamants d'un prix immense, que le roi son grand-père avait accoutumé de porter dans les combats. Schah-Abbas avait fait autrefois ôter de ce cimeterre tous ces beaux diamants; et Alibée prouva par de bons témoins que la chose avait été faite par l'ordre du feu roi, avant que la charge eût été donnée à Alibée. Quand les ennemis d'Alibée virent qu'ils ne pouvaient plus se servir de ce prétexte pour le perdre, ils conseillèrent à Schah-Séphi de lui commander de faire, dans quinze

---

23. **S'attendrir**: être ému.
24. **Faire du bien**: rendre service, *ici* faire des cadeaux, aider.
25. **Artifice**: méchanceté.
26. **Feu roi**: le roi mort.
27. **Détourné**: volé.

28. **Crédule**: qui croit naïvement tout ce qu'on lui dit.
29. **Un cimeterre**: un sabre oriental à lame forte, tranchante des deux côtés et recourbée en arrière.

jours, un inventaire exact de tous les meubles précieux dont il était chargé. Au bout de quinze jours il demanda à voir lui-même toutes les choses. Alibée lui ouvrit toutes les portes et lui montra tout ce qu'il avait en garde. Tout était propre, bien rangé et conservé avec grand soin.

Le roi, bien mécompté[30] de trouver partout tant d'ordre et d'exactitude, était presque revenu en faveur d'Alibée, lorsqu'il aperçut, au bout d'une grande galerie, pleine de meubles très somptueux, une porte de fer qui avait trois grandes serrures. « C'est là, lui dirent à l'oreille les courtisans jaloux, qu'Alibée a caché toutes les choses précieuses qu'il vous a dérobées. »

Aussitôt le roi en colère s'écria : « Je veux voir ce qui est au-delà de cette porte. Qu'y avez-vous mis ? montrez-le-moi ». A ces mots, Alibée se jeta à ses genoux, le conjurant, au nom de Dieu, de ne lui ôter pas ce qu'il avait de plus précieux sur la terre. « Il n'est pas juste, disait-il, que je perde en un moment ce qui me reste, et qui fait ma ressource[31], après avoir travaillé tant d'années auprès du roi votre père. Otez-moi, si vous voulez, tout le reste, mais laissez-moi ceci. »

Le roi ne douta pas que ce ne fût un trésor mal acquis qu'Alibée avait amassé. Il prit un ton plus haut, et voulut absolument qu'on ouvrît cette porte.

Enfin Alibée, qui en avait les clefs, l'ouvrit lui-même. On ne trouva en ce lieu que la houlette, la flûte, et l'habit de berger qu'Alibée avait porté autrefois, et qu'il revoyait avec joie, de peur d'oublier sa première condition.

« Voilà, ô grand roi, les précieux restes de mon ancien bonheur : ni la fortune ni votre puissance n'ont pu me les ôter. Voilà mon trésor, que je regarde pour m'enrichir quand vous m'aurez fait pauvre. Reprenez tout le reste ; laissez-moi ces chers gages[32] de mon premier état. Les voilà mes vrais biens, qui ne me manqueront jamais. Les voilà ces biens simples, innocents, toujours doux à ceux qui savent se contenter du nécessaire et ne se tourmentent point pour le superflu[33]. Les voilà ces biens dont la liberté et la sûreté sont les fruits. Les voilà ces biens qui ne m'ont jamais donné un moment

---

30. **Mécompté :** déçu, trompé dans ses espérances.
31. **Ma ressource :** ma seule richesse.

32. **Gages :** preuves, témoignages.
33. **Superflu :** dont on peut se passer, qui est en trop.

d'embarras[34]. Ô chers instruments d'une vie simple et heureuse ! je n'aime que vous. C'est avec vous que je veux vivre et mourir. Pourquoi faut-il que d'autres biens trompeurs soient venus me tromper et troubler le repos de ma vie ? Je vous les tends, grand roi, toutes ces richesses qui me viennent de votre libéralité[35] ! Je ne garde que ce que j'avais quand le roi votre père vint, par ces grâces[36], me rendre malheureux. »

Le roi, entendant ces paroles, comprit l'innocence d'Alibée ; et, étant indigné contre les courtisans qui l'avaient voulu perdre, il les chassa d'auprès de lui.

Alibée devint son principal officier, et fut chargé des affaires les plus secrètes ; mais il revoyait tous les jours sa houlette, sa flûte et son ancien habit, qu'il tenait tous les jours prêts dans son trésor, pour les reprendre, dès que la fortune inconstante troublerait sa faveur. Il mourut dans une extrême vieillesse, sans avoir jamais voulu ni faire punir ses ennemis, ni amasser aucun bien, et ne laissant à ses parents que de quoi vivre dans la condition de bergers, qu'il crut toujours la plus sûre et la plus heureuse.

Suite du IVe livre de l'odyssée ou
les aventures de télémaque, fils d'ulysse.

---

34. **Embarras :** malheur, déplaisir, peine.
35. **Libéralité :** générosité.

36. **Ces grâces :** ces faveurs.

Saint-Simon

Né en 1675, mort en 1755.

Publiés en 1830, les mémoires de Saint-Simon rédigés en plein XVIIIe siècle concernent essentiellement le règne de Louis XIV. Il consacrera les loisirs de la retraite à écrire cette œuvre projetée dès sa vingtième année. Malgré sa tendance à voir le petit côté des choses et l'étroitesse de ses préjugés sociaux qui fausse parfois ses jugements, il peint un tableau du règne de Louis XIV saisissant par son réalisme.

Le président Harlay

Harlay[1] était un petit homme maigre, à visage en losange, le nez grand et aquilin[2], des yeux de vautour qui semblaient dévorer les objets et percer les murailles ; un rabat[3] et une perruque noire mêlée de blanc[4], une calotte[5], des manchettes plates[6], toujours en robe, mais étriquée[7], le dos courbé ; une parole lente, posée, prononcée[8] ; une prononciation ancienne et gauloise[9] et souvent les mots de même ; tout son extérieur gêné, contraint, affecté ; l'odeur hypocrite, le maintien faux et cynique[10], des révérences lentes et profondes ; allant toujours rasant les murailles, avec un air toujours respectueux, mais à travers lequel pétillaient l'audace et l'insolence...

La duchesse de La Ferté alla lui demander audience[11], et, comme tout le monde, essuya son humeur[12]. En s'en allant, elle s'en plaignit à son homme d'affaires, et traita le premier président de «vieux singe». Il la suivait et ne dit mot. À la fin, elle s'en aperçut, mais elle espéra qu'il ne l'avait point entendue ; et lui, sans faire aucun semblant, la mit dans son carrosse. À peu de temps de là, sa cause fut appelée[13], et tout de suite gagnée. Elle accourut chez le premier président, et lui fit toute sorte de remerciements. Lui, humble et modeste, se plonge en révérences, puis, la regardant entre deux yeux : «Madame, lui répondit-il tout haut et devant tout le monde, je suis bien aise qu'un vieux singe ait pu faire quelque plaisir à une vieille guenon[14].» Et de là, tout humblement, sans plus dire un mot, il se met à la conduire[15]. La duchesse de La Ferté eût voulu le tuer ou être morte. Elle ne sut plus ce qu'elle lui disait, et ne put jamais s'en défaire[16], lui toujours en profond silence, en respect et les yeux baissés, jusqu'à ce qu'elle fût montée en carrosse.

MÉMOIRES.

1. Achille de Harlay fut premier président du Parlement de Paris de 1689 à 1707. Il était réputé pour son esprit. A cette époque, les plaideurs rendaient visite aux juges, avant le procès, pour expliquer leur cause.
2. Aquilin : courbé en bec d'aigle.
3. Un rabat : une espèce de cravate qui se rabattait sur la poitrine.
4. Perruque... blanc : cheveux noirs mêlés de cheveux blancs.
5. Une calotte : un petit bonnet rond qui couvre le sommet du crâne.
6. Manchettes plates : le bas des manches sans dentelles.

7. Étriquée : trop étroite.
8. Prononcée : il articulait bien.
9. Prononciation gauloise : prononciation affectée, passée de mode.
10. Le maintien faux et cynique : l'air insolent et effronté.
11. Demander audience : la duchesse de La Ferté demande à être reçue et entendue.
12. Essuya son humeur : elle subit son mauvais caractère car il recevait fort mal les solliciteurs.
13. Sa cause fut appelée : le procès eut lieu.
14. Guenon : femelle du singe.
15. Il se met à la conduire : il la raccompagne.
16. S'en défaire : se débarrasser de lui.

Denis Diderot

Né en 1713, mort en 1784.
Philosophe français qui fonda en 1751 l'*Encyclopédie* et en assura
la direction jusqu'à son achèvement. Auteur de romans d'une verve
pittoresque comme *Le Neveu de Rameau* ou *Jacques le Fataliste,* il est
aussi très intéressé par le théâtre et notamment par un genre
nouveau : le drame bourgeois dont il définit les règles ; il écrit *Le Fils
naturel, Le Père de famille.* Matérialiste et athée, il fut l'un des plus
ardents propagateurs des idées philosophiques du XVIIIe siècle.

La mort de mon père

Mon père[1] revint à Langres la veille de la Pentecôte. Le retour ne l'incommoda point[2]. Il soupa d'appétit, et sa nuit fut très bonne. Le lendemain, jour de la Pentecôte, il voulut à toute force aller à l'église, et il fallut interposer l'autorité de son directeur[3] pour l'en détourner. Il resta. Il prit son café ; il dîna[4]. Il était très bien. Il prit encore le café à l'eau l'après-dîner. Je crois même qu'il goûta[5] sur les quatre heures. Ses amis, instruits de son arrivée, arrivèrent en foule. Il était levé. Il les reçut à merveille. Il était gai. Il était entre son fils et sa fille[6] et une amie intime de la maison qui était accourue transportée de joie. Le mari de cette femme avait été si content de l'état de mon père qu'il ne doutait point qu'il ne se tirât d'affaire[7], c'est ce qu'il avait dit à sa femme, et c'était ce qui l'avait fait accourir avec joie. Il l'accueillit avec sérénité. Il l'embrassa. Il avait le visage excellent, les yeux contents, la voix, le maintien et le discours[8] d'un homme plein de vie. Il causait avec douceur et tranquillité, lorsque sa vue se couvrit[9]. Il leur dit en se penchant sur le dos de sa chaise : « Je sens un petit éblouissement, mais ne vous inquiétez pas, ce ne sera rien.» En effet, cela ne dura qu'un instant.

Il revint et se remit à la conversation ; il n'était point changé ; il n'avait aucune inquiétude, ni lui ni ceux qui l'environnaient, lorsqu'il leur dit : « Voilà encore un petit éblouissement qui me prend.» Il se penche comme la première fois sur le dos de sa chaise ; il avait les yeux fermés ; les pieds et les mains chauds contre son ordinaire[10], il ne passait rien à l'extérieur qui annonçât qu'il finissait[11], cependant il n'était plus. Il passa[12] dans ce second éblouissement qui ne dura pas plus que le premier. Sa fille, qui le tenait par la main, le tira et l'appela plusieurs fois : « Mon père, mon père !» Mon père n'était plus.

Correspondance inédite, t.1, lettres à Grimm.

1. Le père de Diderot exerçait à Langres le métier de coutelier.
2. Il revient d'une cure thermale.
3. Son directeur : directeur de conscience, confesseur.
4. Il dîna : il déjeuna.
5. Il goûta : le goûter est un repas léger pris l'après-midi.
6. Il était... sa fille : avec le frère et la sœur de l'auteur qui venait de les réconcilier.

7. Qu'il ne se tirât d'affaire : qu'il ne guérît.
8. Le discours : la façon de parler.
9. Sa vue se couvrit : sa vue se brouilla comme s'il avait un voile devant les yeux.
10. Contre son ordinaire : contrairement à son habitude.
11. Qu'il finissait : qu'il mourait.
12. Il passa : il mourut.

Une aventure
de Jacques le Fataliste

La nuit s'approchait. Ils traversaient une contrée peu sûre en tout temps, et qui l'était bien moins encore alors que la mauvaise administration et la misère avaient multiplié sans fin le nombre des malfaiteurs. Ils s'arrêtèrent dans la plus misérable des auberges[1]. On leur dressa deux lits de sangles[2] dans une chambre formée de cloisons entr'ouvertes de tous les côtés. Ils demandèrent à souper. On leur apporta de l'eau de mare[3], du pain noir et du vin tourné[4]. L'hôte, l'hôtesse, les enfants, les valets, tout avait l'air sinistre. Ils entendaient à côté d'eux les ris immodérés[5] et la joie tumultueuse d'une douzaine de brigands[6] qui les avaient précédés et qui s'étaient emparés de toutes les provisions. Jacques était assez tranquille ; il s'en fallait beaucoup que son maître le fût autant. Celui-ci promenait son souci[7] en long et en large, tandis que son valet dévorait quelques morceaux de pain noir, et avalait en grimaçant quelques verres de mauvais vin. Ils en étaient là, lorsqu'ils entendirent frapper à leur porte : c'était un valet que ces insolents et dangereux voisins avaient contraint d'apporter à nos deux voyageurs, sur une de leurs assiettes, tous les os d'une volaille qu'ils avaient mangée. Jacques, indigné, prend les pistolets de son maître.

Où vas-tu donc ?

— Laissez-moi faire.

— Où vas-tu ? te dis-je.

— Mettre à la raison cette canaille[8].

— Sais-tu qu'ils sont une douzaine ?

— Fussent-ils cent, le nombre n'y fait rien, s'il est écrit là-haut qu'ils ne sont pas assez...

Jacques s'échappe des mains de son maître, entre dans la chambre de ces coupe-jarrets[9], un pistolet armé[10] dans chaque main. «Vite, qu'on se couche, leur dit-il, le premier qui remue je lui brûle la

---

1. Texte tiré de *Jacques le Fataliste*. Cet ouvrage conte les aventures d'un valet et de son maître qui voyagent ensemble. C'est un ensemble de propos décousus, de réflexions de l'auteur, de rencontres et d'aventures d'auberges.
2. **Sangles** : bandes de cuir.
3. **Mare** : petite étendue d'eau stagnante et souvent sale.

4. **Vin tourné** : vin devenu aigre.
5. **Ris immodérés** : gros rires.
6. **Brigands** : malfaiteurs, bandits, assassins.
7. **Souci** : inquiétude, contrariété.
8. **Canaille** : gens malhonnêtes et méprisables.
9. **Coupe-jarret** : brigand, assassin (le jarret est la partie de la jambe située derrière le genou).
10. **Armé** : le coup est prêt à partir.

cervelle[11]... » Jacques avait l'air et le ton si vrais[12] que ces coquins, qui prisaient[13] autant la vie que d'honnêtes gens, se lèvent de table sans souffler le mot[14], se déshabillent et se couchent. Son maître, incertain sur la manière dont cette aventure finirait, l'attendait en tremblant. Jacques rentra chargé des dépouilles[15] de ces gens : il s'en était emparé pour qu'ils ne fussent pas tentés de se relever ; il avait éteint leur lumière et fermé à double tour leur porte, dont il tenait la clef avec un de ses pistolets. « À présent, monsieur, dit-il à son maître, nous n'avons plus qu'à nous barricader[16] en poussant nos lits contre cette porte, et à dormir paisiblement... » Et il se mit en devoir de pousser les lits, racontant froidement et succinctement[17] à son maître le détail de cette expédition.

LE MAÎTRE

S'ils se relevaient ?

JACQUES

Tant pis ou tant mieux.

LE MAÎTRE

Si... si... si... et...

JACQUES

Si la mer bouillait, il y aurait, comme on dit, bien des poissons de cuits. Que diable, monsieur, tout à l'heure vous avez cru que je courais un grand danger et rien n'était plus faux ; à présent vous vous croyez en grand danger, et rien peut-être n'est encore plus faux. Tous, dans cette maison, nous avons peur les uns des autres ; ce qui prouve que nous sommes tous des sots...

Et, tout en discourant ainsi, le voilà déshabillé, couché et endormi.

---

11. **Brûler la cervelle** : tuer quelqu'un.
12. **L'air et le ton si vrais** : l'air et le ton de celui qui va faire ce qu'il dit.
13. **Priser** : apprécier.
14. **Sans souffler le mot** : sans dire un mot, sans parler.

15. **Dépouilles** : vêtements.
16. **Se barricader** : fermer solidement la porte en poussant des meubles qui empêchent de l'ouvrir.
17. **Succinctement** : brièvement.

Son maître, en mangeant à son tour un morceau de pain noir, et buvant un coup de mauvais vin, prêtait l'oreille autour de lui, regardait Jacques qui ronflait et disait : « Quel diable d'homme est-ce là ?... » À l'exemple de son valet, le maître s'étendit aussi sur son grabat[18], mais il n'y dormit pas de même.

JACQUES LE FATALISTE.

---

18. **Un grabat :** un très mauvais lit.

Stendhal

Henri Beyle est né à Grenoble en 1783, mort à Paris en 1842.

Il s'engage dans l'armée de Bonaparte pour la campagne d'Italie, pays qui a marqué toute sa vie. Entré dans la diplomatie (il fut consul en Italie de 1830 à 1842), il regrette de n'avoir atteint ni la richesse ni le succès littéraire. Sa gloire grandit sans cesse après sa mort, comme il l'avait prévu, faisant de lui l'un des écrivains essentiels de la littérature universelle. *Le Rouge et le Noir* (1830), *La Chartreuse de Parme* (1839) constituent sans nul doute ses deux œuvres les plus célèbres. Il faut cependant rappeler d'autres livres essentiels : *De l'amour* (1822), *Armance* (1827), *Lucien Leuwen* (publié, inachevé, en 1855), *La Vie d'Henri Brulard.*

Plusieurs de ces personnages, Julien Sorel, Mme de Rénal, Mathilde de la Mole *(Le Rouge et le Noir),* Fabrice del Dongo, Clelia Conti, la Sanseverina, le comte Mosca *(La Chartreuse de Parme),* sont des personnages-clefs du patrimoine littéraire.

Ses œuvres ont donné lieu à de très nombreuses adaptations cinématographiques et télévisées.

Philibert Lescale
Esquisse de la vie d'un jeune homme riche à Paris

Je connaissais un peu ce grand M. Lescale qui avait six pieds de haut, c'était un des plus riches négociants de Paris : il avait un comptoir[1] à Marseille et plusieurs navires en mer. Il vient de mourir. Cet homme n'était point triste, mais s'il lui arrivait de dire dix paroles en un jour, on pouvait crier au miracle. Cependant il aimait la gaieté et faisait tout au monde pour se faire prier à des soupers que nous avions établis pour le samedi et que nous tenions fort secrets. Il avait de l'instinct commercial, et je l'aurais consulté dans une affaire douteuse.

En mourant, il me fit l'honneur de m'écrire une lettre de trois lignes. Il s'agissait d'un jeune homme auquel il s'intéressait, mais qui ne portait pas son nom. Il l'appelait Philibert.

Son père lui avait dit :

— Fais ce que tu voudras, peu m'importe : je serai mort quand tu feras des sottises. Tu as deux frères, je laisserai ma fortune au moins bête des trois, et aux deux autres cent louis de rente.

Philibert avait remporté tous les prix au collège ; le fait est qu'en sortant il ne savait rien. Depuis il a été trois ans hussard[2] et a fait deux voyages en Amérique. À l'époque du dernier, il se prétendait amoureux d'une seconde chanteuse qui me semble une coquine fieffée[3], très propre à porter son amant à faire des dettes, puis des faux, et plus tard même quelque joli petit crime conduisant droit en cour d'assises[4], ce que je dis au père.

M. Lescale fit appeler Philibert, qu'il n'avait pas vu depuis deux mois.

— Si tu veux quitter Paris et aller à la Nouvelle-Orléans, lui dit-il, je te donne quinze mille francs, mais payables à bord, où tu seras subrécargue[5].

---

1. **Un comptoir** : un commerce.
2. **Hussard** : soldat.
3. **Une coquine fieffée** : une femme réellement malhonnête.
4. **Une cour d'assises** : un tribunal.
5. **Subrécargue** : homme qui surveille les marchandises d'un bateau.

Le jeune homme partit, et l'on s'arrangea pour que de son plein gré son séjour en Amérique durât[6] plus que sa zone de passion.

Il fut rappelé par la nouvelle de la mort de ce pauvre Lescale, qui se donnait soixante-cinq ans et en avait soixante-dix-neuf. Par son testament, il reconnaît son fils et lui laisse quarante mille livres de rente. De plus, lorsqu'il aura vendu toutes les propriétés et qu'il sera complètement ruiné, un des amis de Lescale lui comptera deux cents francs tous les premiers du mois, et trois cents francs s'il est en prison pour dettes.

Philibert vint me voir, il avait l'air fort touché, et comme il demandait conseil sérieusement, je lui dis :

— Restez à Paris, à la bonne heure ; mais c'est à condition que vous vous mettrez dans l'opposition légitimiste[7] et que vous direz toujours du mal du gouvernement, quel qu'il soit. Prenez sous votre protection une demoiselle de l'Opéra et tâchez de ne vous ruiner qu'à moitié ; si vous faites tout cela, je continuerai à vous voir, et dans huit ans, quand vous en aurez trente-deux, vous serez sage.

— Je le suis dès aujourd'hui, du moins en un sens, me répondit-il. Je vous donne ma parole d'honneur de ne jamais dépenser plus de quarante mille francs par an. Mais pourquoi me mettre dans l'opposition ?

— Le rôle est plus brillant et d'ailleurs convient à qui n'a rien à solliciter.

Cette histoire n'est pas grand'chose, mais j'ai voulu la noter parce qu'elle est exactement vraie. Philibert a fait des folies, mais au fond a suivi mes conseils. Seulement, la première année, il a mangé soixante mille francs, mais il en est si honteux que je pense que, celle-ci, il n'arrive pas à deux mille francs de dépense par mois.

De lui-même, il s'est mis à réapprendre le latin et les mathématiques ; il prétend naviguer un jour sur un navire à lui appartenant, revoir l'Amérique, voir les Indes. En un mot, malgré la fortune imprévue, il peut devenir un homme fort distingué et fera une bonne mine en lisant ceci.

Je lui ai donné quelques petits conseils de détail qui ont réussi. Il

---

6. **Durât :** verbe durer (subjonctif imparfait).   7. **Légitimiste :** qui soutient la dynastie légitime.

loge dans une des rues les plus reculées du faubourg Saint-Germain et est fort estimé des portiers[8] de son quartier. Il dépense cinquante louis en aumônes ; il n'a que trois chevaux, mais il est allé lui-même les chercher en Angleterre. Il n'est abonné à aucun cabinet littéraire[9] et ne lit jamais un livre s'il ne lui appartient et n'est richement relié. Il n'a que deux domestiques, auxquels il ne parle jamais, mais leurs gages augmentent d'un quart tous les ans. On l'a déjà fait sonder trois ou quatre fois pour des mariages, sur quoi je lui ai déclaré que, s'il se mariait avant trente-six ans, il perdrait ma protection. J'espère toujours qu'il fera quelque sottise, j'ai peur de m'attacher à lui. Il est fort beau et fort silencieux. D'après mes avis il est toujours vêtu de noir, comme s'il était en deuil. J'ai dit sous le secret qu'il ne se consolait pas de la mort d'une dame du *Bâton-Rouge*, près de la Nouvelle-Orléans. Il voudrait bien ne plus avoir sa maîtresse de l'Opéra, mais je crains les passions, et je l'oblige à la garder.

Où il est bien plaisant, c'est dans une terre[10] que je lui ai fait acheter à quatre lieues[11] de Compiègne, sur la lisière de la forêt : ce qui m'a déterminé, c'est la bonne compagnie ; c'est-à-dire le caractère honnête de huit ou dix propriétaires de châteaux voisins. Tous les fainéants du pays chantent les louanges de M. Lescale ; il fait beaucoup d'aumônes et a l'air constamment dupe de tout le monde. Il a eu des bonnes fortunes[12] inconcevables ; mais au fond il ne peut aimer qu'une femme qu'il voit sur la scène deux fois la semaine. Il trouve que la comédie jouée par les autres femmes est à la fois sérieuse et vide.

Bref, Philibert Lescale est un homme bien élevé et ce qu'on appelle un aimable homme.

N.B. (Deux ans plus tard.) J'ai eu tort de forcer le pauvre Philibert à garder sa chanteuse, il vient d'avoir, à cause d'elle, un duel avec un prétendu prince russe qui lui a logé dans le front une balle dont il est mort.

Le prince russe, qui était endetté, et qui d'ailleurs n'était ni prince ni Russe, a saisi avec empressement cette occasion de quitter la France et son quart de loge à l'Opéra.

ROMANS ET NOUVELLES.

---

8. **Portiers** : personnes qui gardent l'entrée des immeubles.
9. **Cabinet littéraire** : endroit où on loue des livres.
10. **Une terre** : un terrain.
11. **Une lieue** : ancienne mesure de longueur (environ 4 km).
12. **Bonnes fortunes** : chances amoureuses.

Alexandre Dumas père

Né en 1802, mort en 1870.

Fils d'un général français, Alexandre Davy de la Pailleterie a publié de très nombreux romans historiques qui sont restés très populaires : *Les Trois Mousquetaires, Vingt ans après, Le Vicomte de Bragelonne, Le Comte de Monte-Cristo, Le Collier de la Reine,* etc. Il connut aussi le succès au théâtre avec quelques mélodrames dont le plus célèbre est *La Tour de Nesle.* Ne pas confondre avec son fils, Alexandre Dumas fils (1824-1895), qui se consacra surtout au théâtre avec le souci de défendre une thèse de morale sociale : *La Dame aux camélias, L'Étrangère, Le Demi-Monde,* etc.

Hippolyte

Hippolyte[1], excellent nageur, coureur dératé[2], assez bon cavalier, était loin d'avoir des facultés intellectuelles correspondantes à ses qualités physiques. Deux exemples donneront une idée de son intelligence.

Un soir que ma mère craignait une gelée de nuit et qu'elle voulait en préserver quelques belles fleurs d'automne placées sur un petit mur d'appui, et dont la vue égayait les fenêtres de la salle à manger, elle appela Hippolyte.

Hippolyte accourut et attendit l'ordre qu'on allait lui donner, ses gros yeux écarquillés[3] et ses grosses lèvres ouvertes.

« Hippolyte, lui dit ma mère, vous rentrerez ces pots-là ce soir, et vous les mettrez dans la cuisine.

— Oui, Madame », répondit Hippolyte.

Le soir, ma mère trouva effectivement les pots dans la cuisine, mais empilés les uns sur les autres, afin de prendre le moins de place possible sur les terres[4] de Marie.

Une sueur froide perla au front de ma pauvre mère, car elle comprenait tout.

Hippolyte avait obéi à la lettre[5]. Il avait vidé les fleurs et rentré les pots.

Les fleurs brisées, entassées les unes sur les autres et toutes brillantes de gelée, furent retrouvées le lendemain au pied du mur.

On appela Pierre, leur médecin[6]. Pierre en sauva quelques-unes ; mais la plus grande partie se trouva perdue.

Le second fait est plus grave...

J'avais un charmant petit friquet[7] que Pierre avait attrapé. Le pauvre petit, volant à peine, avait voulu s'aventurer, comme Icare, à suivre son père, et était passé de son nid dans une cage, où il avait grossi et où son aile avait pris tout le développement nécessaire.

C'était Hippolyte qui était chargé spécialement de donner du grain à mon friquet et de nettoyer la cage.

---

1. Alexandre Dumas habita dans son enfance un petit château de l'Ile-de-France. La domesticité comprenait un valet de chambre noir nommé Hippolyte dont les naïvetés étaient proverbiales.
2. Un coureur dératé : la rate était considérée autrefois comme gênante pour courir. Hippolyte était un bon coureur.
3. Écarquillés : les yeux grands ouverts.
4. La cuisine est le domaine de Marie, la cuisinière.
5. À la lettre : exactement, rigoureusement.
6. Pierre est jardinier.
7. Un friquet : un moineau.

Un jour, je trouvai la cage ouverte et mon friquet disparu.

De là, cris, douleurs, trépignements[8], et enfin intervention maternelle.

— Qui a laissé cette porte ouverte? demanda ma mère à Hippolyte.

— C'est moi, madame, répondit celui-ci, joyeux comme s'il avait fait l'action la plus adroite du monde.

— Et pourquoi cela?

— Dame! pauvre petite bête, sa cage sentait le renfermé.

Il n'y avait rien à répondre à cela. Ma mère n'ouvrait-elle pas elle-même les fenêtres et les portes des chambres qui sentaient le renfermé, et ne recommandait-elle pas aux autres domestiques d'en faire autant en pareille circonstance?

On me donna un autre friquet, et l'on enjoignit[9] à Hippolyte de nettoyer la cage assez souvent pour qu'elle ne sentît pas le renfermé.

MES MÉMOIRES.

---

8. **Trépigner :** frapper des pieds contre terre d'un mouvement rapide.

9. **Enjoignit :** ordonna.

Victor Hugo

Né à Besançon en 1802, mort à Paris en 1885.

C'est l'écrivain français le plus célèbre du XIXe siècle. Dans tous les genres littéraires, ses œuvres sont marquantes. Théâtre : *Hernani* (1830), *Ruy Blas* (1838) ; romans : *Notre-Dame de Paris* (1831), *Les Misérables* (1862), *Les Travailleurs de la Mer* (1866). Poésies : *Les Feuilles d'automne* (1831), *Les Orientales* (1829), *Les Chants du crépuscule* (1835), *Les Rayons et les Ombres* (1840), *Les Châtiments* (1853), *Les Contemplations* (1856). De 1859 à 1883, il fait paraître une œuvre immense, en vers, *La Légende des siècles*.

La mort de sa fille Léopoldine, en 1843, et son opposition au Second Empire (à la fin de 1851) marquent la deuxième moitié de sa vie. Il s'exile pendant tout le règne de Napoléon III, de 1851 à 1870, et ne rentre triomphalement en France qu'à la chute de celui-ci. Il devint alors un sorte de « monument public » ; à sa mort on lui fit des obsèques nationales. Il fut élu à l'Académie Française en 1841.

Parvulus[1]

Paris a un enfant et la forêt a un oiseau ; l'oiseau s'appelle le moineau ; l'enfant s'appelle le gamin[2].

Accouplez ces deux idées qui contiennent, l'une toute la fournaise[3], l'autre toute l'aurore[4], choquez ces étincelles, Paris, l'enfance ; il en jaillit un petit être. *Homuncio*[5], dirait Plaute[6]. Ce petit être est joyeux. Il ne mange pas tous les jours et il va au spectacle, si bon lui semble, tous les soirs. Il n'a pas de chemise sur le corps, pas de souliers aux pieds, pas de toit sur la tête ; il est comme les mouches du ciel qui n'ont rien de tout cela. Il a de sept à treize ans, vit par bandes, bat le pavé[7], loge en plein air, porte un vieux pantalon de son père qui lui descend plus bas que les talons, un vieux chapeau de quelque autre père qui lui descend plus bas que les oreilles, une seule bretelle en lisière[8] jaune, court, guette, quête, perd le temps, culotte des pipes[9], jure comme un damné[10], hante le cabaret, connaît des voleurs, tutoie des filles, parle argot, chante des chansons obscènes, et n'a rien de mauvais dans le cœur. C'est qu'il a dans l'âme une perle, l'innocence, et les perles ne se dissolvent[11] pas dans la boue. Tant que l'homme est enfant, Dieu veut qu'il soit innocent.

Si l'on demandait à l'énorme ville : Qu'est-ce que c'est que cela ? elle répondrait : C'est mon petit.

LES MISÉRABLES, 3ᵉ PARTIE, LIVRE I, CHAP. I.

---

1. **Parvulus** : tout petit (latin).
2. **Un gamin** : un enfant ou un adolescent qui passait la plupart de son temps dans la rue.
3. **La fournaise** : lieu extrêmement chaud/lieu où il y a beaucoup d'activités.
4. **L'aurore** : lumière qui précède le lever du soleil (commencement de la vie).
5. **Homuncio** : petit homme.
6. **Plaute** : poète comique latin (IIᵉ s. av. J.-C.).

7. **Bat le pavé** : marche dans les rues (sans but précis).
8. **En lisière** : aux bords.
9. **Culotte des pipes** : fume des pipes (le culot est le dépôt accumulé dans le fourneau d'une pipe).
10. **Comme un damné** : de façon horrible.
11. **Se dissolvent** : (verbe se dissoudre) fondent.

Quelques-uns de ses signes particuliers

Le gamin de Paris, c'est le nain de la géante.

N'exagérons point, ce chérubin[1] du ruisseau a quelquefois une chemise mais alors il n'en a qu'une ; il a quelquefois des souliers, mais alors ils n'ont point de semelles ; il a quelquefois un logis, et il l'aime, car il y trouve sa mère ; mais il préfère la rue, parce qu'il y trouve sa liberté. Il a ses jeux à lui, ses malices[2] à lui dont la haine des bourgeois fait le fond ; ses métaphores[3] à lui ; être mort, cela s'appelle *manger des pissenlits par la racine ;* ses métiers à lui, amener des fiacres[4], baisser les marchepieds des voitures, établir des péages[5] d'un côté de la rue à l'autre dans les grosses pluies, ce qu'il appelle faire *des ponts des arts,* crier les discours prononcés par l'autorité en faveur du peuple français, gratter l'entre-deux des pavés ; il a sa monnaie à lui, qui se compose de tous les petits morceaux de cuivre façonné[6] qu'on peut trouver sur la voie publique. Cette curieuse monnaie, qui prend le nom de *loques,* a un cours invariable et fort bien réglé dans cette petite bohème[7] d'enfants.

Enfin il a sa faune[8] à lui, qu'il observe studieusement dans des coins ; la bête à bon Dieu, le puceron tête-de-mort, le faucheux[9], le «diable», insecte noir qui menace en tordant sa queue armée de deux cornes. Il a son monstre fabuleux qui a des écailles sous le ventre et qui n'est pas un lézard, qui a des pustules sur le dos et qui n'est pas un crapaud, qui habite les trous des vieux fours à chaux et des puisards[10] desséchés, noir, velu[11], visqueux[12], rampant, tantôt lent, tantôt rapide, qui ne crie pas, mais qui regarde, et qui est si terrible que personne ne l'a jamais vu ; il nomme ce monstre «le sourd». Chercher des sourds dans les pierres, c'est un plaisir du genre redoutable[13]. Autre plaisir, lever brusquement un pavé, et voir des cloportes[14]. Chaque région de Paris est célèbre par les trouvailles intéressantes qu'on peut y faire. Il y a des perce-oreilles[14] dans les chantiers des Ursulines, il y a des mille-pieds[14] au Panthéon,

---

1. **Chérubin :** charmant enfant.
2. **Malices :** plaisanteries, moqueries.
3. **Métaphore :** figure de style (donner à un mot une signification qu'il n'a pas habituellement).
4. **Fiacres :** voitures à chevaux qui étaient louées.
5. **Péages :** lieux où l'on paie la location du fiacre.
6. **Façonné :** qui a été travaillé au marteau.
7. **Bohème :** vie désordonnée, au jour le jour.
8. **Sa faune :** ensemble des animaux vivant dans un lieu déterminé.

9. **Faucheux :** sorte d'araignée.
10. **Puisards :** espèce de puits (où l'eau s'écoule par infiltration).
11. **Velu :** poilu.
12. **Visqueux :** mou et gluant (suscite la répulsion).
13. **Redoutable :** effrayant (qui fait peur).
14. **Cloportes ; perce-oreilles ; mille-pieds :** noms d'insectes.

il y a des têtards dans les fossés du Champs de Mars.

Quant à des mots, cet enfant en a comme Talleyrand[15]. Il n'est pas moins cynique, mais il est plus honnête. Il est doué d'on ne sait quelle jovialité[16] imprévue ; il ahurit le boutiquier de son fou rire. Sa gamme va gaillardement[17] de la haute comédie à la farce.

Un enterrement passe. Parmi ceux qui accompagnent le mort, il y a un médecin. — Tiens, s'écrie un gamin, depuis quand les médecins reportent-ils leur ouvrage ?

Un autre est dans la foule. Un homme grave, orné de lunettes et de breloques[18], se retourne indigné : — Vaurien, tu viens de prendre « la taille » à ma femme. — Moi, monsieur ! fouillez-moi.

LES MISÉRABLES, 3ᵉ PARTIE, LIVRE I, CHAP. I.

---

15. Talleyrand : homme politique français (1754-1838), député aux états généraux et à l'Assemblée constituante (1789).
16. Jovialité : gaité familière, exprimée avec franchise et simplicité.

17. Gaillardement : gaiement, avec bonne humeur.
18. Breloques : petits bijoux que l'on attache à une chaîne de montre ou à un bracelet.

Gavroche et les deux mômes*

— Le bureau est fermé, dit Gavroche, je ne reçois plus de plaintes.

Cependant, en continuant de monter la rue, il avisa[1], toute glacée sous une porte cochère, une mendiante de treize ou quatorze ans, si court-vêtue qu'on voyait ses genoux. La petite commençait à être trop grande fille pour cela. La croissance vous joue de ces tours. La jupe devient courte au moment où la nudité devient indécente[2].

— Pauvre fille! dit Gavroche. Ça n'a même pas de culotte. Tiens, prends toujours ça.

Et, défaisant toute cette bonne laine[3] qu'il avait autour du cou, il la jeta sur les épaules maigres et violettes de la mendiante, où le cache-nez redevint châle[4].

La petite le considéra d'un air étonné et reçut le châle en silence. À un certain degré de détresse, le pauvre, dans sa stupeur[5], ne gémit plus du mal et ne remercie plus du bien.

Cela fait:

— Brrr! dit Gavroche, plus frissonnant que saint Martin, qui, lui du moins, avait gardé la moitié de son manteau.

Sur ce brrr! l'averse[6], redoublant d'humeur, fit rage. Ces mauvais ciels-là punissent les bonnes actions.

— Ah ça! s'écria Gavroche, qu'est-ce que cela signifie? Il repleut! Bon Dieu! si cela continue, je me désabonne[7].

Et il se remit en marche.

— C'est égal, reprit-il en jetant un coup d'œil à la mendiante qui se pelotonnait[8] sous le châle, en voilà une qui a une fameuse pelure.

Et, regardant la nuée[9], il cria:

— Attrapé!

Les deux enfants emboîtaient le pas derrière lui.

Comme ils passaient devant un de ces épais treillis grillés qui indiquent la boutique d'un boulanger, car on met le pain comme l'or derrière des grillages de fer, Gavroche se tourna:

---

*Ce titre n'est pas de Victor Hugo.

1. **Avisa:** aperçut.
2. **Indécente:** incorrecte, contraire aux convenances.
3. **Cette bonne laine:** le cache-nez (longue écharpe en laine qui protège bien du froid).
4. **Un châle:** une grande pièce de tissu ou de laine que les femmes portent sur leurs épaules.
5. **Stupeur:** engourdissement de l'intelligence et de la sensibilité.
6. **Averse:** pluie subite et violente, mais de courte durée.
7. **Je me désabonne:** je cesse de croire en Dieu.
8. **Se pelotonner:** se blottir, se rouler en boule.
9. **La nuée:** le gros nuage épais.

— Ah çà! mômes[10], avons-nous dîné?

— Monsieur, répondit l'aîné, nous n'avons pas mangé depuis tantôt ce matin.

— Vous êtes donc sans père ni mère? reprit majestueusement Gavroche.

— Faites excuse, monsieur, nous avons papa et maman, mais nous ne savons pas où ils sont.

— Des fois, cela vaut mieux que de le savoir, dit Gavroche d'un air penseur.

— Voilà, continua l'aîné, deux heures que nous marchons nous avons cherché des choses au coin des bornes, mais nous ne trouvons rien.

— Je sais, fit Gavroche. C'est les chiens qui mangent tout.

Il reprit après un silence:

— Ah! nous avons perdu nos auteurs[11]. Nous ne savons plus ce que nous en avons fait. Ça ne se doit pas, gamins. C'est bête d'égarer comme ça des gens d'âge. Ah çà! il faut licher[12] pourtant.

Du reste il ne leur fit pas de questions. Être sans domicile, quoi de plus simple?

L'aîné des deux mômes, presque entièrement revenu à la prompte[13] insouciance de l'enfance, fit cette exclamation:

— C'est drôle tout de même. Maman qui avait dit qu'elle nous mènerait chercher du buis bénit le dimanche des rameaux[14].

— Neurs[15], répondit Gavroche.

— Maman, reprit l'aîné, est une dame qui demeure avec mamselle[16] Miss.

— Tanflûte[17], repartit Gavroche.

Cependant il s'était arrêté, et depuis quelques minutes il tâtait et fouillait toutes sortes de recoins qu'il avait dans ses haillons[18].

Enfin il releva la tête d'un air qui ne voulait qu'être satisfait, mais qui était en réalité triomphant.

— Calmons-nous, les momignards[19]. Voici de quoi souper pour trois.

Et il tira d'une de ses poches un sou[20].

---

10. **Mômes**: enfants.
11. **Nos auteurs**: nos parents.
12. **Licher**: boire ou manger.
13. **Prompte**: qui dure peu.
14. **Du buis... des rameaux**: dans la religion catholique, du buis (petit arbre) est béni dans les églises le dernier dimanche du Carême.

15. **Neurs**: Gavroche joue avec le mot « rameaux » (rameaux + neurs = ramoneurs).
16. **Mamselle**: mademoiselle.
17. **Tanflûte**: Miss + **Tanflûte** = mistenflute (surnom pour désigner les gens qu'on ne veut pas nommer; un tel).
18. **Haillons**: vêtements sales et déchirés.
19. **Momignards**: petits enfants (argot).
20. **Un sou**: ancienne pièce de 5 centimes.

Sans laisser aux deux petits le temps de s'ébahir[21], il les poussa tous deux devant lui dans la boutique du boulanger et mit son sou sur le comptoir en criant :

— Garçon! cinque centimes de pain.

Le boulanger, qui était le maître en personne, prit un pain et un couteau.

— En trois morceaux, garçon! reprit Gavroche, et il ajouta avec dignité :

— Nous sommes trois.

Et voyant que le boulanger, après avoir examiné les trois soupeurs, avait pris un pain bis, il plongea profondément un doigt dans son nez avec une aspiration aussi impérieuse que s'il eût eu au bout du pouce la prise de tabac du grand Frédéric[22], et jeta au boulanger en plein visage cette apostrophe indignée :

— Keksekça[23] ?

Ceux de nos lecteurs qui seraient tentés de voir dans cette interpellation de Gavroche au boulanger un mot russe ou polonais, ou l'un de ces cris sauvages que les Yoways et les Botocudos se lancent d'un bord du fleuve à l'autre à travers les solitudes, sont prévenus que c'est un mot qu'ils disent tous les jours (eux nos lecteurs) et qui tient lieu de cette phrase : qu'est-ce que c'est que cela ? Le boulanger comprit parfaitement et répondit :

— Eh mais! c'est du pain, du très bon pain de deuxième qualité.

— Vous voulez dire du larton brutal[24], reprit Gavroche, calme et froidement dédaigneux[25]. Du pain blanc, garçon! du larton savonné[26]! je régale[27].

Le boulanger ne put s'empêcher de sourire, et tout en coupant le pain blanc, il les considérait d'une façon compatissante[28] qui choqua Gavroche.

— Ah çà! mitron[29], dit-il, qu'est-ce que vous avez donc à nous toiser[30] comme ça?

Mis tous trois bout à bout, ils auraient fait à peine une toise[31].

Quand le pain fut coupé, le boulanger encaissa le sou, et Gavroche dit aux deux enfants :

---

21. **S'ébahir** : s'étonner.
22. **Grand Frédéric** : Frédéric II le Grand (1712-1786), empereur de Prusse.
23. **Keksekça ?** : qu'est-ce que c'est que cela ? (cf. paragraphe suivant).
24. **Larton brutal** : pain noir (note de Victor Hugo).
25. **Froidement dédaigneux** : avec distance et mépris.
26. **Larton savonné** : pain blanc.
27. **Je régale** : je paie.
28. **Compatissante** : avec un sentiment de pitié.
29. **Mitron** : boulanger.
30. **Toiser** : regarder de haut, avec arrogance.
31. **Une toise** : ancienne mesure de longueur.

— Morfilez[32].

Les petits garçons le regardèrent interdits.

Gavroche se mit à rire :

— Ah ! tiens, c'est vrai, ça ne sait pas encore, c'est si petit !

Et il reprit :

— Mangez.

En même temps, il leur tendait à chacun un morceau de pain.

Et, pensant que l'aîné, qui lui paraissait plus digne de sa conversation, méritait quelque encouragement spécial et devait être débarrassé de toute hésitation à satisfaire son appétit, il ajouta en lui donnant la plus grosse part :

— Colle-toi ça dans le fusil[33].

Il y avait un morceau plus petit que les autres ; il le prit pour lui.

Les pauvres enfants étaient affamés, y compris Gavroche. Tout en arrachant leur pain à belles dents, ils encombraient la boutique du boulanger qui, maintenant qu'il était payé, les regardait avec humeur.

— Rentrons dans la rue, dit Gavroche.

Ils reprirent la direction de la Bastille[34].

De temps en temps, quand ils passaient devant les devantures de boutiques éclairées, le plus petit s'arrêtait pour regarder l'heure à une montre en plomb suspendue à son cou par une ficelle.

— Voilà décidément un fort serin, disait Gavroche.

Puis, pensif, il grommelait entre ses dents :

— C'est égal, si j'avais des mômes, je les serrerais mieux que ça[35].

LES MISÉRABLES, 4ᵉ PARTIE, LIVRE VI, CHAP. II.

---

32. **Morfilez :** mangez (cf. réplique suivante).
33. **Colle-toi ça dans le fusil :** mets ça dans ta bouche.

34. **La Bastille :** place de la Bastille (dans le XIᵉ arrondissement) ; d'abord citadelle militaire, puis prison d'État, la Bastille fut prise par le peuple de Paris le 14 juillet 1789.
35. **Je les serrerais mieux que ça :** je serais plus sévère avec eux.

Gavroche insurgé*

À l'instant où l'insurrection[1], surgissant du choc du peuple et de la troupe devant l'Arsenal[2], détermina un mouvement d'avant en arrière dans la multitude qui suivait le corbillard[3] et qui, de toute la longueur des boulevards, pesait, pour ainsi dire, sur la tête du convoi, ce fut un effrayant reflux. La cohue[4] s'ébranla, les rangs se rompirent, tous coururent, partirent, s'échappèrent, les uns avec les cris de l'attaque, les autres avec la pâleur de la fuite. Le grand fleuve qui couvrait les boulevards se divisa en un clin d'œil, déborda à droite et à gauche et se répandit en torrents dans deux cents rues à la fois avec le ruissellement d'une écluse[5] lâchée. En ce moment un enfant déguenillé[6] qui descendait par la rue Ménilmontant, tenant à la main une branche de faux-ébénier en fleurs qu'il venait de cueillir sur les hauteurs de Belleville, avisa[7] dans la devanture de boutique d'une marchande de bric-à-brac un vieux pistolet d'arçon[8]. Il jeta sa branche fleurie sur le pavé, et cria :

— Mère chose, je vous emprunte votre machin.

Et il se sauva avec le pistolet.

Deux minutes après, un flot de bourgeois épouvantés[9] qui s'enfuyait par la rue Amelot et la rue Basse rencontra l'enfant qui brandissait son pistolet et qui chantait :

> *La nuit on ne voit rien,*
> *Le jour on voit très bien,*
> *D'un écrit apocryphe[10]*
> *Le bourgeois s'ébouriffe,*
> *Pratiquez la vertu,*
> *Tutu chapeau pointu !*

C'était le petit Gavroche qui s'en allait en guerre.

Sur le boulevard il s'aperçut que le pistolet n'avait pas de chien[11].

---

*Ce titre n'est pas de Victor Hugo.

1. Insurrection : révolte, soulèvement populaire contre le pouvoir.
2. L'Arsenal : dans le IVe arrondissement.
3. Corbillard : voiture servant à transporter les morts (avant l'enterrement).
4. Cohue : foule désordonnée.
5. Écluse : portes ou vannes qui retiennent les eaux d'une rivière ou d'un canal.

6. Déguenillé : portant des vêtements sales, déchirés.
7. Avisa : aperçut.
8. Un pistolet d'arçon : une arme légère que l'on tient d'une seule main (xixe s.).
9. Épouvantés : effrayés, terrorisés.
10. Apocryphe : faussement attribué à un auteur.
11. Chien : pièce du pistolet qui autrefois provoquait la mise à feu de la poudre.

De qui était ce couplet[12] qui lui servait à ponctuer sa marche, et toutes les autres chansons que, dans l'occasion, il chantait volontiers ? nous l'ignorons. Qui sait ? de lui peut-être. Gavroche d'ailleurs était au courant de tout le fredonnement[13] populaire en circulation, et il y mêlait son propre gazouillement. Farfadet et galopin[14], il faisait un pot-pourri[15] des voix de la nature et des voix de Paris. Il combinait le répertoire des oiseaux avec le répertoire des ateliers. Il connaissait des rapins[16], tribu contiguë à la sienne[17]. Il avait, à ce qu'il paraît, été trois mois apprenti imprimeur. Il avait fait un jour une commission pour monsieur Baour-Lormian, l'un des quarante[18]. Gavroche était un gamin de lettres.

Gavroche du reste ne se doutait pas que dans cette vilaine nuit pluvieuse où il avait offert à deux mioches[19] l'hospitalité de son éléphant[20], c'était pour ses propres frères qu'il avait fait office de providence. Ses frères le soir, son père le matin ; voilà quelle avait été sa nuit. En quittant la rue des Ballets au petit jour[21], il était retourné en hâte à l'éléphant, en avait artistement extrait les deux mômes[22], avait partagé avec eux le déjeuner quelconque qu'il avait inventé, puis s'en était allé, les confiant à cette bonne mère la rue qui l'avait à peu près élevé lui-même. En les quittant, il leur avait donné rendez-vous pour le soir au même endroit, et leur avait laissé pour adieu ce discours : — Je casse une canne, autrement dit je m'esbigne[23], ou, comme on dit à la cour, je file. Les mioches, si vous ne retrouvez pas papa maman, revenez ici ce soir. Je vous ficherai[24] à souper et je vous coucherai. Les deux enfants, ramassés par quelque sergent de ville et mis au dépôt, ou volés par quelque saltimbanque, ou simplement égarés dans l'immense casse-tête chinois[25] parisien, n'étaient pas revenus. Les bas-fonds du monde social actuel sont pleins de ces traces perdues. Gavroche ne les avait pas revus. Dix ou douze semaines s'étaient écoulées depuis cette nuit-là. Il lui était arrivé plus d'une fois de se gratter le dessus de la tête et de dire : Où diable sont mes deux enfants ?

Cependant, il était parvenu, son pistolet au poing, rue du Pont-aux-Choux. Il remarqua qu'il n'y avait plus, dans cette rue,

---

12. Couplet : strophe d'une chanson.
13. Fredonnement : chantonnement.
14. Farfadet et galopin : lutin et garçon des rues.
15. Un pot-pourri : mélange de choses diverses, assemblées de façon plaisante.
16. Des rapins : autrefois, dans les ateliers de peinture, apprentis chargés des travaux subalternes.
17. Tribu contiguë à la sienne : classe sociale proche de la sienne.
18. Un des quarante : un des membres de l'Académie française.

19. Mioches : jeunes enfants (argot).
20. Son éléphant : Gavroche habite dans un bâtiment en forme d'éléphant.
21. Au petit jour : tôt le matin.
22. Mômes : enfants (argot).
23. Je m'esbigne : je m'en vais (argot).
24. Je vous ficherai : je vous donnerai.
25. Casse-tête chinois : problème difficile à résoudre ; *ici* difficulté de s'orienter dans les nombreuses rues de Paris.

qu'une boutique ouverte, et, chose digne de réflexion[26], une boutique de pâtissier. C'était une occasion providentielle de manger encore un chausson aux pommes avant d'entrer dans l'inconnu. Gavroche s'arrêta, tâta ses flancs, fouilla son gousset[27], retourna ses poches, n'y trouva rien, pas un sou, et se mit à crier : Au secours ! Il est dur de manquer le gâteau suprême.

Gavroche n'en continua pas moins son chemin.

Deux minutes après, il était rue Saint-Louis. En traversant la rue du Parc-Royal, il sentit le besoin de se dédommager[28] du chausson aux pommes impossible, et il se donna l'immense volupté[29] de déchirer en plein jour les affiches de spectacles.

Un peu plus loin, voyant passer un groupe d'êtres bien portants qui lui parurent des propriétaires, il haussa les épaules et cracha au hasard devant lui cette gorgée de bile philosophique[30].

— Ces rentiers[31], comme c'est gras ! Ça se gave[32]. Ça patauge dans les bons dîners. Demandez-leur ce qu'ils font de leur argent. Ils n'en savent rien. Ils le mangent, quoi ! Autant en emporte le ventre.

LES MISÉRABLES, 4e PARTIE, LIVRE XI.

26. **Chose digne de réflexion :** chose qui mérite réflexion, qui doit être analysée.
27. **Un gousset :** une petite poche placée en dedans de la ceinture.
28. **Se dédommager :** compenser la peine qu'il a subie.

29. **Volupté :** plaisir intense.
30. **Cette gorgée de bile philosophique :** colère et amertume.
31. **Rentiers :** personnes ayant des revenus fournis par un capital (non par un travail).
32. **Ça se gave :** ils mangent beaucoup trop.

La mort de Gavroche*

Courfeyrac tout à coup aperçut quelqu'un au bas de la barricade[1], dehors, dans la rue, sous les balles.

Gavroche avait pris un panier à bouteilles, dans le cabaret, était sorti par la coupure[2], et était paisiblement occupé à vider dans son panier les gibernes[3] pleines de cartouches des gardes nationaux[4] tués sur le talus[5] de la redoute[6].

— Qu'est-ce que tu fais là ? dit Courfeyrac.

Gavroche leva le nez :

— Citoyen, j'emplis mon panier.

— Tu ne vois donc pas la mitraille[7] ?

Gavroche répondit :

— Eh bien ! il pleut. Après ?

Courfeyrac cria :

— Rentre !

— Tout à l'heure, fit Gavroche.

Et, d'un bond, il s'enfonça dans la rue.

On se souvient que la compagnie Fannicot, en se retirant, avait laissé derrière elle une traînée de cadavres.

Une vingtaine de morts gisaient çà et là dans toute la longueur de la rue sur le pavé. Une vingtaine de gibernes pour Gavroche. Une provision de cartouches pour la barricade.

La fumée était dans la rue comme un brouillard. Quiconque a vu un nuage tombé dans une gorge de montagnes[8] entre deux escarpements à pic peut se figurer cette fumée resserrée et comme épaissie par deux sombres lignes de hautes maisons. Elle montait lentement et se renouvelait sans cesse ; de là un obscurcissement graduel[9] qui blêmissait[10] même le plein jour. C'est à peine si, d'un bout à l'autre de la rue, pourtant fort courte, les combattants s'apercevaient.

Cet obscurcissement, probablement voulu et calculé par les chefs qui devaient diriger l'assaut de la barricade, fut utile à Gavroche.

---

* Ce titre n'est pas de Victor Hugo.

1. **Une barricade :** un obstacle qui barre la rue (ici sépare les révolutionnaires de la force militaire).
2. **Était sorti par la coupure :** avait trouvé le moyen de se débrouiller.
3. **Gibernes :** autrefois, boîtes à cartouches des soldats.
4. **Gardes nationaux :** soldats défendant le pouvoir contre lequel se sont révoltés les communards.

5. **Talus :** pente, inclinaison d'un terrain.
6. **La redoute :** endroit public où l'on dansait, où était la fête.
7. **Mitraille :** décharge de balles.
8. **Une gorge de montagnes :** un passage étroit entre deux montagnes.
9. **Graduel :** progressif.
10. **Blêmissait :** devenait blême (blanc terne qui donne une impression désagréable).

Sous les plis de ce voile de fumée, et grâce à sa petitesse, il put s'avancer assez loin dans la rue sans être vu. Il dévalisa les sept ou huit premières gibernes sans grand danger.

Il rampait à plat ventre, galopait à quatre pattes, prenait son panier aux dents, se tordait, glissait, ondulait[11], serpentait d'un mort à l'autre, et vidait la giberne ou la cartouchière comme un singe ouvre une noix.

De la barricade, dont il était encore assez près, on n'osait lui crier de revenir, de peur d'appeler l'attention sur lui.

Sur un cadavre, qui était un caporal[12], il trouva une poire à poudre[13].

— Pour la soif, dit-il, en la mettant dans sa poche.

A force d'aller en avant, il parvint au point où le brouillard de la fusillade[14] devenait transparent.

Si bien que les tirailleurs de la ligne rangés et à l'affût derrière leur levée de pavés[15], et les tirailleurs de la banlieue massés[16] à l'angle de la rue, se montrèrent soudainement quelque chose qui remuait dans la fumée.

Au moment où Gavroche débarrassait de ses cartouches un sergent gisant près d'une borne, une balle frappa le cadavre.

— Fichtre! fit Gavroche. Voilà qu'on me tue mes morts.

Une deuxième balle fit étinceler le pavé à côté de lui. Une troisième renversa son panier.

Gavroche regarda, et vit que cela venait de la banlieue.

Il se dressa tout droit, debout, les cheveux au vent, les mains sur les hanches, l'œil fixé sur les gardes nationaux qui tiraient, et il chanta :

> *On est laid à Nanterre[17],*
> *C'est la faute à Voltaire,*
> *Et bête à Palaiseau[17],*
> *C'est la faute à Rousseau.*

Puis il ramassa son panier, y remit, sans en perdre une seule, les cartouches qui en étaient tombées, et, avançant vers la fusillade, alla

---

11. **Ondulait** : se déplaçait d'un mouvement sinueux, souple comme celui d'un serpent.
12. **Un caporal** : un militaire ayant le grade le moins élevé dans l'infanterie.
13. **Une poire à poudre** : une poche en cuir dans laquelle on mettait autrefois la poudre.

14. **Fusillade** : décharge de balles, coups de feu.
15. **Levée de pavés** : barricades faites de pavés.
16. **Massés** : réunis en grand nombre.
17. **Nanterre, Palaiseau** : cités ouvrières dans la banlieue de Paris.

dépouiller une autre giberne. Là une quatrième balle le manqua encore. Gavroche chanta :

> *Je ne suis pas notaire,*
> *C'est la faute à Voltaire,*
> *Je suis petit oiseau,*
> *C'est la faute à Rousseau.*

Une cinquième balle ne réussit qu'à tirer de lui un troisième couplet :

> *Joie est mon caractère,*
> *C'est la faute à Voltaire,*
> *Misère est mon trousseau*[18]*,*
> *C'est la faute à Rousseau.*

Cela continua ainsi quelque temps.

Le spectacle était épouvantable et charmant. Gavroche, fusillé, taquinait[19] la fusillade. Il avait l'air de s'amuser beaucoup. C'était le moineau[20] becquetant les chasseurs. Il répondait à chaque décharge[21] par un couplet. On le visait sans cesse, on le manquait toujours. Les gardes nationaux et les soldats riaient en l'ajustant. Il se couchait, puis se redressait, s'effaçait dans un coin de porte, puis bondissait, disparaissait, reparaissait, se sauvait, revenait, ripostait[22] à la mitraille par des pieds de nez, et cependant pillait[23] les cartouches, vidait les gibernes et remplissait son panier. Les insurgés[24], haletants d'anxiété, le suivaient des yeux. La barricade tremblait ; lui, il chantait. Ce n'était pas un enfant, ce n'était pas un homme ; c'était un étrange gamin fée[25]. On eût dit le nain invulnérable[26] de la mêlée[27]. Les balles couraient après lui, il était plus leste[28] qu'elles. Il jouait on ne sait quel effrayant jeu de cache-cache avec la mort ; chaque fois que la face camarde du spectre[29] s'approchait, le gamin lui donnait une pichenette[30].

Une balle pourtant, mieux ajustée ou plus traître que les autres,

---

18. **Trousseau** : vêtements donnés à un enfant qui entre en pension.
19. **Taquinait** : prenait plaisir à contrarier.
20. **Un moineau** : un oiseau (qui vit généralement dans les lieux habités).
21. **Une décharge** : un coup de feu.
22. **Ripostait** : répondait.
23. **Pillait** : volait.
24. **Les insurgés** : les membres de la Commune insurgée (1871).

25. **Un gamin fée** : un enfant doué de pouvoirs surnaturels.
26. **Invulnérable** : qui ne peut être blessé.
27. **La mêlée** : la bataille.
28. **Leste** : léger, agile.
29. **La face camarde du spectre** : la mort.
30. **Une pichenette** : un petit coup brusque donné avec le doigt.

finit par atteindre l'enfant feu follet[31]. On vit Gavroche chanceler, puis il s'affaissa. (Toute la barricade poussa un cri ; mais il y avait de l'Antée dans ce pygmée[32], pour le gamin toucher le pavé, c'est comme pour le géant toucher la terre ; Gavroche n'était tombé que pour se redresser ; il resta assis sur son séant[33], un long filet de sang rayait son visage, il éleva ses deux bras en l'air, regarda du côté d'où était venu le coup, et se mit à chanter :

> *Je suis tombé par terre,*
> *C'est la faute à Voltaire,*
> *Le nez dans le ruisseau,*
> *C'est la faute à...*

Il n'acheva point. Une seconde balle du même tireur l'arrêta court. Cette fois il s'abattit la face contre le pavé, et ne remua plus. Cette petite grande âme venait de s'envoler.

LES MISÉRABLES, 5ᵉ PARTIE, LIVRE I, CHAP. XV.

---

31. **Feu follet :** semblable au mouvement incessant d'une flamme (Gavroche se déplace si vite qu'il est difficile de l'atteindre).

32. **Il y avait... pygmée :** l'enfant reprenait des forces quand il touchait le pavé (Antée, dans la mythologie grecque, était un géant qui reprenait force chaque fois qu'il touchait la terre dont il était issu).

33. **Sur son séant :** sur son derrière (en position assise).

Villiers de l'Isle-Adam

Le comte Auguste Villiers de l'Isle-Adam est né à Saint-Brieuc en 1838 et mort à Paris en 1889.

Il fut ami de Baudelaire, grâce auquel il connut l'œuvre d'Edgar Poe, qui exerça sur lui une influence certaine. Il entretint également d'amicales relations avec Mallarmé.

Il conçut une forte amertume de n'avoir atteint ni la richesse ni la gloire littéraire qu'il estimait mériter.

Les Contes cruels (1883) et *Axel* (publié après sa mort, en 1890) constituent les deux œuvres les plus marquantes de cet auteur.

Virginie et Paul

C'est la grille des vieux jardins du pensionnat. Dix heures sonnent dans le lointain. Il fait une nuit d'avril, claire, bleue et profonde. Les étoiles semblent d'argent. Les vagues du vent, faibles, ont passé sur les jeunes roses ; les feuillages bruissent, le jet d'eau retombe neigeux, au bout de cette grande allée d'acacias. Au milieu du grand silence, un rossignol[1], âme de la nuit, fait scintiller une pluie de notes magiques.

Alors que les seize ans vous enveloppaient de leur ciel d'illusions, avez-vous aimé une toute jeune fille ? Vous souvenez-vous de ce gant oublié sur une chaise, dans la tonnelle[2] ? Avez-vous éprouvé le trouble d'une présence inespérée, subite ? Avez-vous senti vos joues brûler, lorsque, pendant les vacances, les parents souriaient de votre timidité l'un près de l'autre ? Avez-vous connu le doux infini de deux yeux purs qui vous regardaient avec une tendresse pensive ? Avez-vous touché, de vos lèvres, les lèvres d'une enfant tremblante et brusquement pâlie, dont le sein battait contre votre cœur oppressé de joie ? Les avez-vous gardées, au fond du reliquaire[3], les fleurs bleues cueillies le soir, près de la rivière, en revenant ensemble ?

Caché, depuis les années séparatrices, au plus profond de votre cœur, un tel souvenir est comme une goutte d'essence de l'Orient enfermée en un flacon précieux. Cette goutte de baume[4] est si fine et si puissante que, si l'on jette le flacon dans votre tombeau, son parfum, vaguement immortel, durera plus que votre poussière.

Oh ! s'il est une chose douce, par un soir de solitude, c'est de respirer, encore une fois, l'adieu de ce souvenir enchanté !

Voici l'heure de l'isolement : les bruits du travail se sont tus dans le faubourg ; mes pas m'ont conduit jusqu'ici, au hasard. Cette bâtisse fut, autrefois, une vieille abbaye[5]. Un rayon de lune fait voir l'escalier de pierre, derrière la grille, et illumine à demi les vieux saints sculptés qui ont fait des miracles et qui, sans doute, ont frappé

1. **Un rossignol** : un oiseau au chant très apprécié.
2. **Tonnelle** : petit pavillon de verdure.
3. **Reliquaire** : boîte où l'on conserve religieusement des objets précieux.

4. **Baume** : produit anti-douleurs.
5. **Une abbaye** : lieu où vivent les moines (les abbés).

contre ces dalles leurs humbles fronts éclairés par la prière. Ici les pas des chevaliers de Bretagne ont résonné autrefois, alors que l'Anglais tenait encore nos cités angevines[6]. — A présent, des jalousies vertes et gaies rajeunissent les sombres pierres des croisées et des murs. L'abbaye est devenue une pension de jeunes filles. Le jour, elles doivent y gazouiller comme des oiseaux dans les ruines. Parmi celles qui sont endormies, il est plus d'une enfant qui, aux premières vacances de Pâques, éveillera dans le cœur d'un jeune adolescent la grande impression sacrée et peut-être que déjà... — Chut! on a parlé! Une voix très douce vient d'appeler (tout bas): «Paul!... Paul!» Une robe de mousseline blanche, une ceinture bleue ont flotté, un instant, près de ce pilier. Une jeune fille semble parfois une apparition. Celle-ci est descendue maintenant. C'est l'une d'entre elles; je vois la pèlerine[7] du pensionnat et la croix d'argent du cou. Je vois son visage. La nuit se fond avec ses traits baignés de poésie! O cheveux si blonds d'une jeunesse mêlée d'enfance encore! O bleu regard dont l'azur est si pâle qu'il semble encore tenir de l'éther primitif!

Mais quel est ce tout jeune homme qui se glisse entre les arbres? Il se hâte; il touche le pilier de la grille.

— Virginie! Virginie! c'est moi.

— Oh! plus bas! me voici, Paul!

Ils ont quinze ans tous les deux!

C'est un premier rendez-vous! C'est une page de l'idylle éternelle! Comme ils doivent trembler de joie l'un et l'autre! Salut, innocence divine! souvenir! fleurs ravivées!

— Paul, mon cher cousin!

— Donnez-moi votre main à travers la grille, Virginie. Oh! mais est-elle jolie, au moins! Tenez, c'est un bouquet que j'ai cueilli dans le jardin de papa. Il ne coûte pas d'argent, mais c'est de cœur.

— Merci, Paul. Mais comme il est essoufflé! Comme il a couru!

— Ah! c'est que papa a fait une affaire, aujourd'hui, une affaire très belle! Il a acheté un petit bois à moitié prix. Des gens étaient obligés de vendre vite; une bonne occasion. Alors, comme il était

---

6. Ici les pas... cités angevines: les Anglais ont occupé l'Anjou (province de l'ouest de la France) jusqu'au début du XIIe s.

7. Pèlerine: vêtement sans manches.

content de la journée, je suis resté avec lui pour qu'il me donnât[8] un peu d'argent ; et puis je me suis pressé pour arriver à l'heure.

— Nous serons mariés dans trois ans, si vous passez bien vos examens, Paul !

— Oui, je serai un avocat. Quand on est un avocat, on attend quelques mois pour être connu. Et puis, on gagne, aussi, un peu d'argent.

— Souvent beaucoup d'argent !

— Oui. Est-ce que vous êtes heureuse au pensionnat, ma cousine ?

— Oh ! oui, Paul. Surtout depuis que madame Pannier a pris de l'extension[9]. D'abord, on n'était pas si bien ; mais, maintenant, il y a ici des jeunes filles des châteaux. Je suis l'amie de toutes ces demoiselles. Oh ! elles ont de bien jolies choses. Et alors, depuis leur arrivée, nous sommes bien mieux, bien mieux, parce que madame Pannier peut dépenser un peu plus d'argent.

— C'est égal, ces vieux murs... Ce n'est pas très gai d'être ici.

— Si ! on s'habitue à ne pas les regarder. Mais, voyons, Paul, avez-vous été voir notre bonne tante ? Ce sera sa fête dans six jours ; il faudra lui écrire un *compliment*. Elle est si bonne !

— Je ne l'aime pas beaucoup, moi, ma tante ! Elle m'a donné, l'autre fois, de vieux bonbons du dessert, au lieu, enfin, d'un vrai cadeau : soit une jolie bourse, soit des petites pièces pour mettre dans ma tirelire[10].

— Paul, Paul, ce n'est pas bien. Il faut être toujours bien aimant avec elle et la ménager. Elle est vieille et elle nous laissera, aussi, un peu d'argent...

— C'est vrai. Oh ! Virginie, entends-tu ce rossignol ?

— Paul, prenez bien garde de me tutoyer quand nous ne serons pas seuls.

— Ma cousine, puisque nous devons nous marier ! D'ailleurs, je ferai attention. Mais comme c'est joli, le rossignol ! Quelle voix pure et argentine[11] !

— Oui, c'est joli, mais ça empêche de dormir. Il fait très doux,

---

8. Donnât : verbe donner au subjonctif imparfait.
9. A pris de l'extension : a pris de l'importance (depuis qu'elle accueille les jeunes filles des châteaux).

10. Une tirelire : une boîte où l'on garde l'argent que l'on veut économiser.
11. Voix argentine : qui a le son clair de l'argent.

ce soir : la lune est argentée, c'est beau.

— Je savais bien que vous aimiez la poésie, ma cousine.

— Oh! oui! la Poésie!... j'étudie le piano.

— Au collège, j'ai appris toutes sortes de beaux vers pour vous les dire, ma cousine : je sais presque tout Boileau[12] par cœur[13]. Si vous voulez, nous irons souvent à la campagne quand nous serons mariés, dites?

— Certainement, Paul! D'ailleurs, maman me donnera, en dot[14], sa petite maison de campagne où il y a une ferme : nous irons là, souvent, passer l'été. Et nous agrandirons cela un peu, si c'est possible. La ferme rapporte aussi un peu d'argent.

— Ah! tant mieux. Et puis l'on peut vivre à la campagne pour beaucoup moins d'argent qu'à la ville. C'est mes parents qui m'ont dit cela. J'aime la chasse et je tuerai, aussi, beaucoup de gibier. Avec la chasse, on économise, aussi, un peu d'argent!

— Puis, — c'est la campagne, mon Paul! Et j'aime tout ce qui est poétique!

— J'entends du bruit là-haut, hein?

— Chut! il faut que je remonte : madame Pannier pourrait s'éveiller. Au revoir, Paul.

— Virginie, vous serez chez ma tante dans six jours?... au dîner?... J'ai peur, aussi, que papa ne s'aperçoive que je me suis échappé, il ne me donnerait plus d'argent.

— Votre main, vite.

Pendant que j'écoutais, ravi, le bruit céleste d'un baiser, les deux anges se sont enfuis; l'écho attardé des ruines vaguement répétait : «... De l'argent! Un peu d'argent!»

O jeunesse, printemps de la vie! Soyez bénis, enfants, dans votre extase[15]! vous dont l'âme est simple comme la fleur, vous dont les paroles, évoquant d'autres souvenirs *à peu près* pareils à ce premier rendez-vous, font verser de douces larmes à un passant!

CONTES CRUELS.

---

12. **Tout Boileau** : toute l'œuvre de Boileau (poète français du XVIIᵉ s.).
13. **Par cœur** : de mémoire.

14. **Dot** : biens qu'une femme apportait en se mariant.
15. **Extase** : vive admiration allant jusqu'au ravissement.

Alphonse Daudet

Né en 1840 dans le sud-est de la France, mort en 1897.

Plusieurs romans (dont *Le Petit Chose* en 1868) et, surtout, des recueils de récits (*Les Lettres de mon Moulin* en 1869, *Les Contes du lundi* en 1873) ont connu, depuis plus d'un siècle, un succès considérable. Ils ont d'abord paru dans la presse de l'époque avant d'être réunis en volumes.

Parmi les plus célèbres des *Lettres de mon Moulin*, citons *La Chèvre de Monsieur Seguin*, *La Mule du Pape*, *Le Curé de Cucugnan*, *Les Trois messes basses*, *Le secret de maître Cornille*. Beaucoup ont donné lieu à des adaptations au cinéma.

Le secret de maître Cornille

Maître Cornille était un vieux meunier, vivant depuis soixante ans dans la farine et enragé pour son état[1]. L'installation des minoteries[2] l'avait rendu comme fou. Pendant huit jours, on le vit courir par le village, ameutant[3] tout le monde autour de lui et criant de toutes ses forces qu'on voulait empoisonner la Provence avec la farine des minotiers. « N'allez pas là-bas, disait-il ; ces brigands-là, pour faire le pain, se servent de la vapeur qui est une invention du diable, tandis que moi je travaille avec le mistral et la tramontane[4], qui sont la respiration du bon Dieu... » Et il trouvait comme cela une foule de belles paroles à la louange des moulins à vent, mais personne ne les écoutait.

Alors, de male rage[5], le vieux s'enferma dans son moulin et vécut tout seul comme une bête farouche. Il ne voulut pas même garder auprès de lui sa petite fille Vivette, une enfant de quinze ans, qui, depuis la mort de ses parents, n'avait plus que son grand[6] au monde. La pauvre petite fut obligée de gagner sa vie et de se louer un peu partout dans les mas[7], pour la moisson, les magnans[8] ou les olivades[9]. Et pourtant, son grand-père avait l'air de bien l'aimer, cette enfant-là. Il lui arrivait souvent de faire ses quatre lieues[10] à pied par le grand soleil pour aller la voir au mas où elle travaillait, et quand il était près d'elle, il passait des heures entières à la regarder en pleurant...

Dans le pays, on pensait que le vieux meunier, en renvoyant Vivette, avait agi par avarice ; et cela ne lui faisait pas honneur de laisser sa petite fille traîner d'une ferme à l'autre, exposée aux brutalités des vaïles[11], et à toutes les misères des jeunesses en condition[12]. On trouvait très mal aussi qu'un homme du renom de maître Cornille, et qui, jusque là s'était respecté, s'en allât maintenant par les rues comme un vrai bohémien[13], pieds nus, le bonnet troué, la taillole en lambeaux[14]... Le fait est que le dimanche, lorsque nous le voyions entrer à la messe, nous avions

---

1. **Enragé pour son état :** passionné pour son métier (le meunier écrasait le blé dans son moulin à vent pour faire de la farine).
2. **Une minoterie :** un moulin industriel. Ce conte narre l'opposition entre l'artisanat et l'industrie.
3. **Ameuter :** alerter les gens, les assembler pour provoquer des manifestations hostiles.
4. **Mistral :** vent qui souffle du nord au sud dans la vallée du Rhône ; **tramontane :** vent du nord dans la région méditerranéenne.
5. **De male rage :** furieux.
6. **Son grand :** son grand-père.

7. **Un mas :** une ferme ou maison de campagne en Provence.
8. **Magnan :** ver à soie.
9. **Olivade :** récolte des olives.
10. **Une lieue :** quatre kilomètres.
11. **Vaïles :** valets de ferme.
12. **Jeunesses en condition :** jeunes de condition modeste, souvent exploités.
13. **Un bohémien :** un vagabond.
14. **La taillole en lambeaux :** ceinture de laine rouge pour serrer les reins et tenir les pantalons.

honte pour lui, nous autres les vieux ; et Cornille le sentait si bien qu'il n'osait plus venir s'asseoir sur le banc d'œuvre[15]. Toujours, il restait au fond de l'église, près du bénitier avec les pauvres.

Dans la vie de maître Cornille il y avait quelque chose qui n'était pas clair. Depuis longtemps personne, au village, ne lui portait plus de blé, et pourtant les ailes de son moulin allaient toujours leur train[16] comme devant... Le soir, on rencontrait par les chemins le vieux meunier poussant devant lui son âne chargé de gros sacs de farine.

« Bonnes vêpres, maître Cornille ! lui criaient les paysans ; ça va donc toujours la meunerie ?

— Toujours, mes enfants, répondait le vieux d'un air gaillard. Dieu merci, ce n'est pas l'ouvrage qui nous manque. »

Alors, si on lui demandait d'où Diable pouvait venir tant d'ouvrage il se mettait un doigt sur les lèvres et répondait gravement : « Motus[17] ! je travaille pour l'exportation... » Jamais on n'en put tirer davantage.

Quant à mettre le nez dans son moulin, il n'y fallait pas songer. La petite Vivette elle-même n'y entrait pas...

Lorsqu'on passait devant, on voyait la porte toujours fermée, les grosses ailes toujours en mouvement, le vieil âne broutant le gazon de la plate-forme, et un grand chat maigre qui prenait le soleil sur le rebord de la fenêtre et vous regardait d'un air méchant.

Tout cela sentait le mystère et faisait beaucoup jaser[18] le monde. Chacun expliquait à sa façon le secret de maître Cornille, mais le bruit général était qu'il y avait dans ce moulin-là encore plus de sacs d'écus que de sacs de farine.

À la longue pourtant, tout se découvrit ; voici comment :

En faisant danser la jeunesse avec mon fifre[19], je m'aperçus un beau jour que l'aîné de mes garçons et la petite Vivette s'étaient rendus amoureux l'un de l'autre. Au fond, je n'en fus pas fâché, parce qu'après tout le nom de Cornille était en honneur chez nous, et puis ce joli petit passereau[20] de Vivette m'aurait fait plaisir à voir trotter dans ma maison. Seulement, comme nos amoureux avaient

---

15. **Banc d'œuvre** : siège réservé dans l'église pour les membres d'une profession.
16. **Allaient toujours leur train** : tournaient comme d'habitude.

17. **Motus !** : silence !
18. **Jaser** : parler.
19. **Un fifre** : une petite flûte à son aigu.
20. **Un passereau** : un oiseau.

souvent occasion d'être ensemble, je voulus, de peur d'accidents, régler l'affaire tout de suite, et je montai jusqu'au moulin pour en toucher deux mots au grand-père... Ah ! le vieux sorcier ! il faut voir de quelle manière il me reçut ! Impossible de lui faire ouvrir sa porte. Je lui expliquai mes raisons tant bien que mal, à travers le trou de la serrure ; et tout le temps que je parlais, il y avait ce coquin de chat maigre qui soufflait comme un diable au-dessus de ma tête.

Le vieux ne me donna pas le temps de finir, et me cria fort malhonnêtement de retourner à ma flûte ; que, si j'étais si pressé de marier mon garçon, je pouvais bien aller chercher des filles à la minoterie... Pensez que le sang me montait[21] d'entendre ces mauvaises paroles ; mais j'eus tout de même assez de sagesse pour me contenir, et, laissant ce vieux fou à sa meule, je revins annoncer aux enfants ma déconvenue... Ces pauvres agneaux ne pouvaient pas y croire ; ils me demandèrent comme une grâce de monter tous deux ensemble au moulin, pour parler au grand-père... Je n'eus pas le courage de refuser, et prrt ! voilà mes amoureux partis.

Tout juste comme ils arrivaient là-haut, maître Cornille venait de sortir. La porte était fermée à double tour ; mais le vieux bonhomme, en partant, avait laissé son échelle dehors, et tout de suite l'idée vint aux enfants d'entrer par la fenêtre, voir un peu ce qu'il y avait dans ce fameux moulin...

Chose singulière ! La chambre de la meule était vide... Pas un sac, pas un grain de blé ; pas la moindre farine aux murs ni sur les toiles d'araignée... On ne sentait pas même cette bonne odeur chaude de froment[22] écrasé qui embaume[23] dans les moulins... L'arbre de couche était couvert de poussière, et le grand chat maigre dormait dessus.

La pièce du bas avait le même air de misère et d'abandon : un mauvais lit, quelques guenilles[24], un morceau de pain sur une marche d'escalier, et puis dans un coin trois ou quatre sacs crevés d'où coulaient des gravats[25] et de la terre blanche.

C'était là le secret de maître Cornille ! C'était ce plâtras qu'il promenait le soir par les routes pour sauver l'honneur du moulin et

---

21. **Le sang me montait :** je sentais que j'allais me mettre en colère.
22. **Froment :** blé.
23. **Embaume :** sent bon.

24. **Guenilles :** haillons, vieux vêtements déchirés.
25. **Gravats :** débris de plâtre, résidus de construction.

faire croire qu'on y faisait de la farine... Pauvre moulin! Pauvre Cornille! Depuis longtemps les minotiers leur avaient enlevé leur dernière pratique[26]. Les ailes tournaient à vide.

Les enfants revinrent tout en larmes, me conter ce qu'ils avaient vu. J'eus le cœur crevé de les entendre... Sans perdre une minute, je courus chez les voisins, je leur dis la chose en deux mots, et nous convînmes qu'il fallait, sur l'heure porter au moulin de Cornille tout ce qu'il y avait de froment dans les maisons... Sitôt dit, sitôt fait. Tout le village se met en route, et nous arrivons là-haut avec une procession d'ânes chargés de blé — du vrai blé, celui-là!

Le moulin était grand ouvert... Devant la porte, maître Cornille, assis sur un sac de plâtre, pleurait la tête dans ses mains. Il venait de s'apercevoir, en rentrant, que pendant son absence on avait pénétré chez lui et surpris son triste secret.

« Pauvre de moi! disait-il. Maintenant, je n'ai plus qu'à mourir... Le moulin est déshonoré. »

Et il sanglotait à fendre l'âme, appelant son moulin par toutes sortes de noms, lui parlant comme à une personne véritable.

À ce moment les ânes arrivent sur la plate-forme, et nous nous mettons tous à crier bien fort comme au beau temps des meuniers :

« Ohé! du moulin!... Ohé! maître Cornille! »

Et voilà les sacs qui s'entassent devant la porte et le beau grain roux qui se répand par terre, de tous côtés...

Maître Cornille ouvrait de grands yeux. Il avait pris du blé dans le creux de sa vieille main et il disait, riant et pleurant à la fois :

« C'est du blé!... Seigneur Dieu!... Du bon blé! Laissez-moi que je le regarde. »

Puis se tournant vers nous :

« Ah! je savais bien que vous me reviendriez... Tous ces minotiers sont des voleurs. »

Nous voulions l'emporter en triomphe[27] au village :

« Non, non, mes enfants ; il faut avant tout que j'aille donner à manger à mon moulin... Pensez donc! il y a si longtemps qu'il ne s'est rien mis sous la dent! »

---

26. **Leur dernière pratique :** leur dernier client.

27. **L'emporter en triomphe :** le porter sur les épaules.

Et nous avions tous des larmes dans les yeux de voir le pauvre vieux se démener de droite et de gauche, éventrant les sacs, surveillant la meule, tandis que le grain s'écrasait et que la fine poussière de froment s'envolait au plafond.

C'est une justice à nous rendre : à partir de ce jour-là, jamais nous ne laissâmes le vieux meunier manquer d'ouvrage. Puis, un matin, maître Cornille mourut, et les ailes de notre dernier moulin cessèrent de virer, pour toujours cette fois... Cornille mort, personne ne prit sa suite. Que voulez-vous, monsieur !... Tout a une fin en ce monde, et il faut croire que le temps des moulins à vent était passé comme celui des coches[28] sur le Rhône, des parlements et des jaquettes[29] à grandes fleurs.

LES LETTRES DE MON MOULIN.

---

28. Coches : bateaux qui servaient au transport des voyageurs.

29. Jaquettes : vestes de cérémonie pour homme, descendant jusqu'aux genoux.

Guy de Maupassant

Né en 1850, en Normandie, mort en 1893.

Ami de Gustave Flaubert et d'Émile Zola, Maupassant a écrit de très nombreux contes, presque toujours publiés d'abord dans un journal, puis rassemblés en volumes. Parmi les recueils les plus connus figurent : *La Maison Tellier* (1881), *Mademoiselle Fifi* (1882), *Contes du jour et de la nuit* (1885). Plusieurs romans sont aussi à signaler : *Une vie* (1883), *Bel Ami* (1885), *Pierre et Jean* (1888). Beaucoup des œuvres de Maupassant ont donné lieu à des adaptations cinématographiques. Ses livres ont été traduits dans le monde entier.

Histoire vraie

Un grand vent soufflait au-dehors, un vent d'automne mugissant et galopant, un de ces vents qui tuent les dernières feuilles et les emportent jusqu'aux nuages. Les chasseurs achevaient leur dîner, encore bottés, rouges, animés, allumés. C'étaient de ces demi-seigneurs normands, mi-hobereaux, mi-paysans, riches et vigoureux, taillés pour casser les cornes des bœufs lorsqu'ils les arrêtent dans les foires.

Ils avaient chassé tout le jour sur les terres de maître Blondel, le maire d'Eparville[1], et ils mangeaient maintenant autour de la grande table, dans l'espèce de ferme-château dont était propriétaire leur hôte.

Ils parlaient comme on hurle, riaient comme rugissent les fauves, et buvaient comme des citernes, les jambes allongées, les coudes sur la nappe, les yeux luisants sous la flamme des lampes, chauffés par un foyer formidable qui jetait au plafond des lueurs sanglantes ; ils causaient de chasse et de chiens. Mais ils étaient, à l'heure où d'autres idées viennent aux hommes, à moitié gris[2], et tous suivaient de l'œil une forte fille aux joues rebondies qui portait au bout de ses poings rouges les larges plats chargés de nourritures.

Soudain un grand diable qui était devenu vétérinaire après avoir étudié pour être prêtre, et qui soignait toutes les bêtes de l'arrondissement, M. Séjour, s'écria :

— Crébleu[3], maît'Blondel, vous avez là une bobonne qui n'est pas piquée des vers[4].

Et un rire retentissant éclata. Alors un vieux noble déclassé[5], tombé dans l'alcool, M. de Varnetot, éleva la voix :

— C'est moi qui ai eu jadis une drôle[6] d'histoire avec une fillette comme ça ! Tenez, il faut que je vous la raconte. Toutes les fois que j'y pense, ça me rappelle Mirza, ma chienne que j'avais vendue au Comte d'Haussonnel et qui revenait tous les jours dès qu'on la

---

1. Tiré des *Contes du jour et de la nuit* (1885), le conte se passe près de Fécamp, d'Étretat et du Havre.
2. À moitié gris : à moitié ivres.
3. Crébleu : juron ; déformation de sacré nom de Dieu.
4. Une bobonne… des vers : une domestique qui est jolie.
5. Déclassé : déchu.
6. Drôle : étrange, bizarre.

7. C' qu'elle a fait c't bête ; v'là : ce qu'elle a fait cette bête ; voilà. Maupassant transcrit phonétiquement la façon de parler des paysans normands. Parfois il utilise des mots empruntés au « patois » de la région du pays de Caux.
8. Garçon : célibataire.
9. Avoir des rentes : avoir des revenus fixes, avoir de l'argent.
10. On a l'œil de tous les côtés : on cherche des aventures amoureuses.

lâchait, tant elle ne pouvait me quitter. À la fin je m'suis fâché et j'ai prié l'comte de la tenir à la chaîne. Savez-vous c'quelle a fait c'te bête[7]? Elle est morte de chagrin.

Mais, pour en revenir à ma bonne, v'là[7] l'histoire:

J'avais alors vingt-cinq ans et je vivais en garçon[8], dans mon château de Villebon. Vous savez, quand on est jeune, et qu'on a des rentes[9], et qu'on s'embête tous les soirs après dîner, on a l'œil de tous les côtés[10].

Bientôt je découvris une jeunesse qui était en service chez Déboultot, de Cauville. Vous avez bien connu Déboultot, vous, Blondel! Bref, elle m'enjôla si bien, la gredine[11], que j'allai un jour trouver son maître et je lui proposai une affaire. Il me céderait sa servante et je lui vendrais ma jument noire, Cocotte, dont il avait envie depuis bientôt deux ans. Il me tendit la main: «Topez-là[12], monsieur de Varnetot.» C'était marché conclu; la petite vint au château et je conduisis moi-même à Cauville ma jument, que je laissai pour trois cents écus.

Dans les premiers temps, ça alla comme sur des roulettes[13]. Personne ne se doutait de rien; seulement Rose m'aimait un peu trop pour mon goût. C't'enfant-là, voyez-vous, ce n'était pas n'importe qui. Elle devait avoir quèqu'chose de pas commun dans les veines. Ça venait encore de quéqu'fille qui aura fauté avec son maître[14].

Bref, elle m'adorait. C'étaient des cajoleries, des mamours[15], des p'tits noms de chien, un tas d'gentillesses à me donner des réflexions[16].

Je me disais: «Faut pas qu'ça dure, ou je me laisserai prendre[17]!» Mais on ne me prend pas facilement, moi. Je ne suis pas de ceux qu'on enjôle avec deux baisers. Enfin, j'avais l'œil, quand elle m'annonça qu'elle était grosse[18].

Pif! pan! c'est comme si on m'avait tiré deux coups dans la poitrine. Et elle m'embrassait, elle m'embrassait, elle riait, elle dansait, elle était folle, quoi! Je ne dis rien le premier jour; mais la nuit je me raisonnai. Je pensais: «Ça y est; mais il faut parer le coup

---

11. **Enjôler**: séduire; **gredin**: personne malhonnête; *ici*, terme affectueux car elle lui a «volé» son cœur.
12. **Toper là**: donner un coup dans la main du partenaire pour signifier que le marché est conclu.
13. **Ça alla comme sur des roulettes**: tout allait bien.
14. **Ça venait... avec son maître**: elle était sans doute fille d'une servante et d'un seigneur.

15. **Cajoleries, mamours**: caresses, démonstrations de tendresse.
16. **À me donner des réflexions**: qui me faisaient réfléchir.
17. **Je me laisserai prendre**: je deviendrai amoureux, je devrai l'épouser.
18. **Grosse**: enceinte, elle attend un bébé.

et couper le fil[19], il n'est que temps.» Vous comprenez, j'avais mon père et ma mère à Barneville, et ma sœur mariée au marquis d'Yspare, à Robellec, à deux lieues de Villebon. Pas moyen de blaguer[20].

Mais comment me tirer d'affaire? Si elle quittait la maison, on se douterait de quelque chose et on jaserait. Si je la gardais, on verrait bientôt l'bouquet[21]; et puis, je ne pouvais la lâcher comme ça.

J'en parlai à mon oncle, le baron de Creteuil, un vieux lapin[22] qui en a connu plus d'une, et je lui demandai un avis. Il me répondit tranquillement:

«Il faut la marier, mon garçon.»

Je fis un bond.

«La marier, mon oncle, mais avec qui!»

Il haussa doucement les épaules:

«Avec qui tu voudras, c'est ton affaire et non la mienne. Quand on n'est pas bête on trouve toujours.»

Je réfléchis bien huit jours à cette parole, et je finis par me dire à moi-même: «Il a raison, mon oncle.»

Alors je commençai à me creuser la tête et à chercher; quand un soir le juge de paix avec qui je venais de dîner, me dit:

«Le fils de la mère Paumelle vient encore de faire une bêtise; il finira mal ce garçon-là. Il est bien vrai que bon chien chasse de race[23].»

Cette mère Paumelle était une vieille rusée dont la jeunesse avait laissé à désirer. Pour un écu, elle aurait vendu certainement son âme et son garnement de fils par-dessus le marché.

J'allai la trouver, et tout doucement, je lui fis comprendre la chose. Comme je m'embarrassais dans mes explications, elle me demanda tout à coup:

«Què qu'vous lui donnerez, à c'te p'tite?»

Elle était maligne, la vieille, mais moi, pas bête, j'avais préparé mon affaire.

Je possédais justement trois lopins de terre[24] perdus auprès de Sasseville, qui dépendaient de mes trois fermes de Villebon. Les

---

19. Parer le coup et couper le fil : éviter les conséquences fâcheuses, couper court, rompre les relations.

20. Blaguer : plaisanter, dire des mensonges.

21. On verrait bientôt l' bouquet : ce serait le comble, on verrait qu'elle est enceinte.

22. Un vieux lapin : un coureur de filles.

23. Bon chien chasse de race : tel père, tel fils. Proverbe qui souligne que le fils d'un malhonnête homme ou d'une malhonnête femme sera aussi malhonnête.

24. Lopins de terre : petits terrains.

fermiers se plaignaient toujours que c'était loin ; bref, j'avais repris ces trois champs, six acres[25] en tout, et, comme mes paysans criaient[26], je leur avais remis[27] pour jusqu'à la fin de chaque bail, toutes leurs redevances en volailles. De cette façon, la chose passa. Alors, ayant acheté un bout de côte à mon voisin, M. d'Aumonté, je faisais construire une masure[28] dessus, le tout pour quinze cents francs. De la sorte, je venais de constituer un petit bien qui ne me coûtait pas grand'chose, et je le donnai en dot à la fillette.

La vieille se récria : ce n'était pas assez ; mais je tins bon, et nous nous quittâmes sans rien conclure.

Le lendemain, dès l'aube, le gars vint me trouver. Je ne me rappelais guère sa figure. Quand je le vis, je me rassurai ; il n'était pas mal pour un paysan ; mais il avait l'air d'un rude coquin.

Il prit la chose de loin[29] comme s'il venait acheter une vache. Quand nous fûmes d'accord, il voulut voir le bien ; et nous voilà partis à travers champs. Le gredin me fit bien rester trois heures sur les terres ; il les arpentait, les mesurait, en prenait des mottes qu'il écrasait dans ses mains, comme s'il avait peur d'être trompé sur la marchandise. La masure n'étant pas encore couverte, il exigea de l'ardoise au lieu de chaume parce que cela demande moins d'entretien !

Puis il me dit :

« Mais l'mobilier, c'est vous qui le donnez. »

Je protestai.

« Non pas ; c'est déjà beau de vous donner une ferme. »

Il ricana :

« J'crai ben, une ferme et un éfant[30]. »

Je rougis malgré moi. Il reprit :

« Allons, vous donnerez l'lit, une table, l'armoire, trois chaises et pi la vaisselle, ou ben rien d'fait[31]. »

J'y consentis.

Et nous voilà en route pour revenir. Il n'avait pas encore dit un mot de la fille. Mais tout à coup, il demanda d'un air sournois et gêné :

---

25. **Acre :** un acre valait 50 ares soit 5 000 m². En Angleterre, l'acre, toujours en usage, vaut 40 ares.
26. **Criaient :** protestaient.
27. **Remis :** différé.
28. **Une masure :** une petite maison.

29. **De loin :** d'un air détaché.
30. **J'crai ben... éfant :** je crois bien, une ferme et un enfant.
31. **Ou ben rien d'fait :** sinon l'affaire ne se fait pas.

« Mais si a mourait, à qui qu'il irait, çu bien[32] ? »
Je répondis :
« Mais à vous, naturellement. »
C'était tout ce qu'il voulait savoir depuis le matin. Aussitôt il me tendit la main d'un mouvement satisfait. Nous étions d'accord. Oh ! par exemple, j'eus du mal pour décider Rose. Elle se traînait à mes pieds, elle sanglotait, elle répétait : « C'est vous qui me proposez ça ! c'est vous ! c'est vous ! » Pendant plus d'une semaine, elle résista malgré mes raisonnements et mes prières. C'est bête, les femmes ; une fois qu'elles ont l'amour en tête, elles ne comprennent plus rien. Il n'y a pas de sagesse qui tienne, l'amour avant tout, tout pour l'amour !

À la fin, je me fâchai et la menaçai de la jeter dehors. Alors elle céda peu à peu, à condition que je lui permettrais de venir me voir de temps en temps.

Je la conduisis moi-même à l'autel, je payai la cérémonie, j'offris à dîner à toute la noce. Je fis grandement les choses, enfin. Puis : « Bonsoir mes enfants ! » J'allais passer six mois chez mon frère en Touraine.

Quand je fus de retour, j'appris qu'elle était venue chaque semaine au château me demander. Et j'étais à peine arrivé depuis une heure que je la vis entrer avec un marmot[33] dans ses bras. Vous me croirez si vous voulez, mais ça me fit quelque chose de voir ce mioche[33]. Je crois même que je l'embrassai.

Quant à sa mère, une ruine, un squelette, une ombre. Maigre, vieillie. Bigre de bigre[34], ça ne lui allait pas le mariage ! Je lui demandai machinalement :

« Es-tu heureuse ? »
Alors, elle se mit à pleurer comme une source, avec des hoquets, des sanglots, et elle criait :

« Je n'peux pas, je n'peux pas m'passer de vous maintenant. J'aime mieux mourir, je n'peux pas ! »
Elle faisait un bruit du diable. Je la consolai comme je pus et je la reconduisis à la barrière.

---

32. **Mais si a mourait… çu bien ?** : si elle mourait, à qui il irait ce bien.
33. **Un marmot, un mioche** : un petit enfant.
34. **Bigre de bigre** : diable (interjection).

J'appris en effet que son mari la battait ; et que sa belle-mère lui rendait la vie dure, la vieille chouette.

Deux jours après elle revenait. Et elle me prit dans ses bras, elle se traîna par terre :

« Tuez-moi, mais je n'veux pas retourner là-bas. »

Tout à fait ce qu'aurait dit Mirza si elle avait parlé !

Ça commençait à m'embêter, toutes ces histoires ; et je filai pour six mois encore. Quand je revins... Quand je revins, j'appris qu'elle était morte trois semaines auparavant, après être revenue au château tous les dimanches... toujours comme Mirza. L'enfant aussi était mort trois jours après.

Quant au mari, le madré coquin[35], il héritait. Il a bien tourné depuis, paraît-il, il est maintenant conseiller municipal[36].

Puis, M. de Varnetot ajouta en riant :

« C'est égal, c'est moi qui ai fait sa fortune à celui-là ! »

Et M. Séjour, le vétérinaire, conclut gravement en portant à sa bouche un verre d'eau-de-vie :

« Tout ce que vous voudrez, mais des femmes comme ça, il n'en faut pas. »

Contes du jour et de la nuit.

---

35. **Le madré coquin** : le rusé fripon, le misérable.

36. **Il a bien tourné... conseiller municipal** : tout s'est bien passé pour lui, il s'occupe des affaires de la commune.

Jules Renard

Né en 1864, mort en 1910.

Ses *Histoires naturelles* (1894) sont centrées sur le monde rural, au sein duquel il a passé la plus grande partie de sa vie (dans le Morvan). Ravel, en 1907, a mis en musique plusieurs de ces histoires naturelles.

Poil de Carotte, publié en 1894 également, constitue une œuvre classique, un symbole de l'enfance prise entre des parents à la fois terrifiants et banals. Poil de Carotte, le petit garçon roux, est désormais une sorte d'emblème, de référence commune. Les adaptations de cette œuvre, au théâtre et au cinéma, ont aussi contribué à la populariser.

Enfin Jules Renard a écrit, de 1887 à sa mort, un « journal » qui est sans doute son œuvre majeure.

Les poules

« Je parie, dit Mme Lepic, qu'Honorine a encore oublié de fermer les poules[1]. »

C'est vrai. On peut s'en assurer par la fenêtre. Là-bas, tout au fond de la grande cour, le petit toit aux poules découpe, dans la nuit, le carré noir de sa porte ouverte.

« Félix, si tu allais les fermer ? dit Mme Lepic à l'aîné de ses trois enfants.

— Je ne suis pas ici pour m'occuper des poules, dit Félix, garçon pâle, indolent et poltron[2].

— Et toi, Ernestine ?

— Oh ! moi, maman, j'aurais trop peur ! »

Grand frère Félix et sœur Ernestine lèvent à peine la tête pour répondre. Ils lisent, très intéressés, les coudes sur la table, presque front contre front.

« Dieu, que je suis bête ! dit Mme Lepic. Je n'y pensais plus. Poil de Carotte, va fermer les poules ! »

Elle donne ce petit nom d'amour à son dernier-né, parce qu'il a les cheveux roux et la peau tachée. Poil de Carotte, qui joue à rien sous la table, se dresse et dit avec timidité :

« Mais, maman, j'ai peur aussi, moi.

— Comment ? répond Mme Lepic, un grand gars[3] comme toi ! c'est pour rire. Dépêchez-vous, s'il te plaît !

— On le connaît ; il est hardi comme un bouc[4], dit sa sœur Ernestine.

— Il ne craint rien ni personne », dit Félix, son grand frère.

Ces compliments enorgueillissent[5] Poil de Carotte, et, honteux d'en être indigne, il lutte déjà contre sa couardise[6]. Pour l'encourager définitivement, sa mère lui promet une gifle.

« Au moins, éclairez-moi », dit-il.

Mme Lepic hausse les épaules, Félix sourit avec mépris.

---

1. **Fermer les poules** : enfermer les poules pour la nuit.
2. **Poltron** : peureux, craintif.
3. **Gars** : garçon, jeune homme.

4. **Hardi comme un bouc** : courageux (le bouc est le mâle de la chèvre).
5. **Enorgueillissent** : rendent orgueilleux.
6. **Couardise** : manque de courage.

Seule pitoyable, Ernestine prend une bougie et accompagne petit frère jusqu'au bout du corridor.

« Je t'attendrai là », dit-elle.

Mais elle s'enfuit tout de suite, terrifiée, parce qu'un fort coup de vent fait vaciller[7] la lumière et l'éteint.

Poil de Carotte, les fesses collées, les talons plantés, se met à trembler dans les ténèbres. Elles sont si épaisses qu'il se croit aveugle. Parfois une rafale l'enveloppe, comme un drap glacé, pour l'emporter. Des renards, des loups même, ne lui soufflent-ils pas dans ses doigts, sur sa joue ? Le mieux est de se précipiter, au juger, vers les poules, la tête en avant, afin de trouer l'ombre. Tâtonnant, il saisit le crochet de la porte. Au bruit de ses pas, les poules effarées s'agitent en gloussant[8] sur leur perchoir. Poil de Carotte leur crie :

« Taisez-vous donc, c'est moi ! », ferme la porte et se sauve, les jambes, les bras comme ailés. Quand il rentre, haletant, fier de lui, dans la chaleur et la lumière, il lui semble qu'il échange des loques[9] pesantes de boue et de pluie contre un vêtement neuf et léger. Il sourit, se tient droit, dans son orgueil, attend les félicitations, et maintenant hors de danger, cherche sur le visage de ses parents la trace des inquiétudes qu'ils ont eues.

Mais grand frère Félix et sœur Ernestine continuent tranquillement leur lecture, et Mme Lepic lui dit, de sa voix naturelle :

« Poil de Carotte, tu iras les fermer tous les soirs. »

POIL DE CAROTTE.

---

7. **Vaciller :** trembler.
8. **En gloussant :** en poussant des cris brefs, répétés.

9. **Loques :** vieux vêtements usés, déchirés.

C'est le chien

M. Lepic et sœur Ernestine, accoudés sous la lampe, lisent, l'un le journal, l'autre son livre de prix ; Mme Lepic tricote, grand frère Félix grille ses jambes au feu et Poil de Carotte par terre se rappelle des choses.

Tout à coup Pyrame, qui dort sous le paillasson[1], pousse un grognement sourd.

« Chtt ! » fait M. Lepic.

Pyrame grogne plus fort.

« Imbécile ! » dit Mme Lepic.

Mais Pyrame aboie avec une telle brusquerie que chacun sursaute. Mme Lepic porte la main à son cœur. M. Lepic regarde le chien de travers, les dents serrées. Grand frère Félix jure et bientôt on ne s'entend plus.

« Veux-tu te taire, sale chien ! tais-toi donc, bougre ! »

Pyrame redouble[2]. Mme Lepic lui donne des claques. M. Lepic le frappe de son journal, puis du pied. Pyrame hurle à plat ventre, le nez bas, par peur des coups, et on dirait que rageur, la gueule heurtant le paillasson, il casse sa voix en éclats.

La colère suffoque les Lepic. Ils s'acharnent, debout, contre le chien couché qui leur tient tête.

Les vitres crissent[3], le tuyau du poêle chevrote[4] et sœur Ernestine même jappe[5].

Mais Poil de Carotte, sans qu'on le lui ordonne, est allé voir ce qu'il y a. Un chemineau[6] attardé passe dans la rue peut-être et rentre tranquillement chez lui, à moins qu'il n'escalade le mur du jardin pour voler.

Poil de Carotte, par le long corridor noir, s'avance, les bras tendus vers la porte. Il trouve le verrou et le tire avec fracas, mais il n'ouvre pas la porte.

Autrefois il s'exposait, sortait dehors, et sifflant, chantant, tapant du pied, il s'efforçait d'effrayer l'ennemi.

---

1. **Un paillasson :** une natte que l'on met devant la porte d'entrée pour s'essuyer les pieds (nettoyer les chaussures).
2. **Redouble :** continue en aboyant plus fort.
3. **Crissent :** produisent un bruit aigu, désagréable.

4. **Chevrote :** fait du bruit (comme une voix tremblotante).
5. **Jappe :** pousse des cris aigus et clairs comme les aboiements des petits chiens.
6. **Un chemineau :** un vagabond errant sur les chemins de campagne.

Aujourd'hui il triche[7].

Tandis que ses parents s'imaginent qu'il fouille hardiment les coins et tourne autour de la maison en gardien fidèle, il les trompe et reste collé derrière la porte.

Un jour il se fera pincer[8], mais depuis longtemps sa ruse lui réussit.

Il n'a peur que d'éternuer et de tousser. Il retient son souffle et s'il lève les yeux, il aperçoit par une petite fenêtre, au-dessus de la porte, trois ou quatre étoiles dont l'étincelante pureté le glace.

Mais l'instant est venu de rentrer. Il ne faut pas que le jeu se prolonge trop. Les soupçons s'éveilleraient.

De nouveau, il secoue avec ses mains frêles le lourd verrou qui grince dans les crampons rouillés et il le pousse bruyamment jusqu'au fond de la gorge. À ce tapage[9], qu'on juge s'il revient de loin et s'il a fait son devoir! Chatouillé au creux du dos, il court vite rassurer sa famille.

Or, comme la dernière fois, pendant son absence, Pyrame s'est tu, les Lepic calmés ont repris leurs places inamovibles[10] et, quoiqu'on ne lui demande rien, Poil de Carotte dit tout de même par habitude :

« C'est le chien qui rêvait. »

POIL DE CAROTTE.

---

7. **Il triche :** il trompe ses parents (il leur fait croire qu'il est dehors, mais en réalité il reste derrière la porte).

8. **Il se fera pincer :** il se fera surprendre (ses parents le découvriront).
9. **Ce tapage :** ce grand bruit.
10. **Inamovibles :** qui ne peuvent être changées, toujours les mêmes.

Honorine

Madame Lepic : Quel âge avez-vous donc, déjà Honorine ?

Honorine : Soixante-sept ans depuis la Toussaint[1], madame Lepic.

Madame Lepic : Vous voilà vieille, ma pauvre vieille !

Honorine : Ça ne prouve rien, quand on peut travailler. Jamais je n'ai été malade. Je crois les chevaux moins durs que moi.

Madame Lepic : Voulez-vous que je vous dise une chose, Honorine ? Vous mourrez tout d'un coup. Quelque soir, en revenant de la rivière, vous sentirez votre hotte[2] plus écrasante, votre brouette plus lourde à pousser que les autres soirs ; vous tomberez à genoux entre les brancards, le nez sur votre linge mouillé, et vous serez perdue. On vous relèvera morte.

Honorine : Vous me faites rire, madame Lepic ; n'ayez crainte ; la jambe et le bras vont encore.

Madame Lepic : Vous vous courbez un peu, il est vrai, mais quand le dos s'arrondit, on lave avec moins de fatigue dans les reins. Quel dommage que votre vue baisse ! Ne dites pas non, Honorine ! Depuis quelque temps, je le remarque.

Honorine : Oh ! j'y vois clair comme à mon mariage.

Madame Lepic : Bon ! ouvrez le placard, et donnez-moi une assiette, n'importe laquelle. Si vous essuyez comme il faut votre vaisselle, pourquoi cette buée ?

Honorine : Il y a de l'humidité dans le placard.

Madame Lepic : Y a-t-il aussi, dans le placard, des doigts qui se promènent sur les assiettes ? Regardez cette trace.

Honorine : Où donc, s'il vous plaît, madame ? je ne vois rien.

Madame Lepic : C'est ce que je vous reproche, Honorine. Entendez-moi. Je ne dis pas que vous vous relâchez[3], j'aurais tort ; je ne connais point de femme au pays qui vous vaille par l'énergie[4], seulement vous vieillissez. Moi aussi, je vieillis ; nous vieillissons tous, et il arrive que la bonne volonté ne suffit plus. Je parie que des

---

1. **La Toussaint** : 1er novembre (fête catholique en l'honneur de tous les saints).
2. **Hotte** : grand panier que l'on porte sur le dos.

3. **Vous vous relâchez** : vous vous montrez moins active.
4. **Point de femme... énergie** : aucune femme qui ait autant d'énergie que vous.

fois vous sentez une espèce de toile sur vos yeux. Et vous avez beau les frotter, elle reste.

Honorine : Pourtant, je les écarquille[5] bien et je ne vois pas trouble comme si j'avais la tête dans un seau d'eau.

Madame Lepic : Si, si, Honorine, vous pouvez me croire. Hier encore, vous avez donné à M. Lepic un verre sale. Je n'ai rien dit, par peur de vous chagriner en provoquant une histoire. M. Lepic, non plus, n'a rien dit. Il ne dit jamais rien, mais rien ne lui échappe. On s'imagine qu'il est indifférent : erreur ! Il observe, et tout se grave derrière son front. Il a simplement repoussé du doigt votre verre, et il a eu le courage de déjeuner sans boire. Je souffrais pour vous et lui.

Honorine : Diable aussi que M. Lepic se gêne avec sa domestique ! Il n'avait qu'à parler et je lui changeais son verre.

Madame Lepic : Possible, Honorine, mais de plus malignes que vous ne font pas parler M. Lepic décidé à se taire. J'y ai renoncé moi-même. D'ailleurs la question n'est pas là. Je me résume : votre vue faiblit chaque jour un peu. S'il n'y a que demi-mal, quand il s'agit d'un gros ouvrage, d'une lessive, les ouvrages de finesse ne sont plus votre affaire. Malgré le surcroît[6] de dépense, je chercherais volontiers quelqu'un pour vous aider...

Honorine : Je ne m'accorderais jamais avec une autre femme dans mes jambes, madame Lepic.

Madame Lepic : J'allais le dire. Alors quoi ? Franchement, que me conseillez-vous ?

Honorine : Ça marchera bien ainsi jusqu'à ma mort.

Madame Lepic : Votre mort ! Y songez-vous, Honorine ? Capable de nous enterrer tous, comme je le souhaite, supposez-vous que je compte sur votre mort ?

Honorine : Vous n'avez peut-être pas l'intention de me renvoyer à cause d'un coup de torchon de travers. D'abord je ne quitte votre maison que si vous me jetez à la porte. Et une fois dehors, il faudra donc crever[7] ?

Madame Lepic : Qui parle de vous renvoyer, Honorine ? Vous voilà toute rouge. Nous causons l'une avec l'autre, amicalement, et

---

5. **Écarquiller** : ouvrir grand les yeux.

6. **Le surcroît** : le supplément.
7. **Crever** : mourir (péjoratif).

puis vous vous fâchez, vous dites des bêtises plus grosses que l'église.

Honorine : Dame ! est-ce que je sais, moi ?

Madame Lepic : Et moi ? Vous ne perdez la vue ni par votre faute, ni par la mienne. J'espère que le médecin vous guérira. Ça arrive. En attendant, laquelle de nous deux est la plus embarrassée ? Vous ne soupçonnez même pas que vos yeux prennent la maladie. Le ménage en souffre. Je vous avertis par charité, pour prévenir des accidents[8], et aussi parce que j'ai le droit, il me semble, de faire, avec douceur, une observation.

Honorine : Tant que vous voudrez. Faites à votre aise, madame Lepic. Un moment je me voyais dans la rue ; vous me rassurez. De mon côté, je surveillerai mes assiettes, je le garantis.

Madame Lepic : Est-ce que je demande autre chose ? Je vaux mieux que ma réputation, Honorine, et je ne me priverai de vos services que si vous m'y obligez absolument.

Honorine : Dans ce cas-là, madame Lepic, ne soufflez mot[9]. Maintenant je me crois utile et je crierais à l'injustice si vous me chassiez. Mais le jour où je m'apercevrai que je deviens à charge et que je ne sais même plus faire chauffer une marmite d'eau sur le feu, je m'en irai tout de suite, toute seule, sans qu'on me pousse.

Madame Lepic : Et sans oublier, Honorine, que vous trouverez toujours un restant de soupe à la maison.

Honorine : Non, madame Lepic, point de soupe ; seulement du pain. Depuis que la mère Maïtte ne mange que du pain, elle ne veut pas mourir.

Madame Lepic : Et savez-vous qu'elle a au moins cent ans ? et savez-vous encore une chose, Honorine ? les mendiants sont plus heureux que nous, c'est moi qui vous le dis.

Honorine : Puisque vous le dites, je dis comme vous, madame Lepic.

POIL DE CAROTTE.

---

8. **Prévenir des accidents :** éviter des accidents en les prévoyant.
9. **Ne soufflez mot :** ne dites rien.

Table des matières

Avant-propos 3

Marie de France 5
Les deux amants 6

Bonaventure Des Périers 11
Du gentilhomme qui criait la nuit après ses oiseaux et du charretier qui fouettait ses chevaux 12

Madame de Sévigné 15
Une nouvelle sensationnelle* 16
La mort de Vatel* 18
Le carrosse renversé* 20

Madame de Maintenon 21
Louis XIV, témoin d'un crime 22

La Bruyère 25
Théramène* 26

Fénelon 27
Histoire d'Alibée Persan 28

Saint-Simon 33
Le président Harlay* 34

Denis Diderot 35
La mort de mon père 36
Une aventure de Jacques le Fataliste* 37

Stendhal 41
Philibert Lescale 42

Alexandre Dumas père 45
Hippolyte 46

Victor Hugo 49
Parvulus* 50
Quelques-uns de ses signes particuliers 51
Gavroche et les deux mômes* 53
Gavroche insurgé 57
La mort de Gavroche* 60

Villiers de l'Isle-Adam 65
Virginie et Paul 66

Alphonse Daudet 71
Le secret de maître Cornille* 72

Guy de Maupassant 77
Histoire vraie 78

Jules Renard 85
Les poules* 86
C'est le chien* 88
Honorine 90

* L'astérique signale les textes enregistrés sur la cassette « À vous de lire 2 ».

ALLIANCE FRANÇAISE

H HACHETTE

les publications
de l'Alliance française
animées par Louis Porcher

COLLECTION
à vous de lire
Ph. Greffet, L. Porcher

Le plaisir de lire et d'écouter les grands textes
de la littérature française.
- livre et cassette
- plusieurs titres parus

COLLECTION
débats
Ph. Greffet, L. Porcher

Le point sur les grands problèmes actuels
de la diffusion du français.

**enseigner-diffuser le français :
une profession**
- autres titres en préparation

COLLECTION
la vie
au quotidien

En préparation

Imprimé en France — Imprimerie Hérissey, Évreux (Eure) — N° 42332
Dépôt légal : N° 3887-4-1987 — Collection N° 31 — Édition N° 01